SHODENSHA
SHINSHO

これさえ知っておけば、小説は簡単に書けます。

中村 航

祥伝社新書

はじめに――小説の書き方って学べるの？

本書を手に取ってくれたあなた、ありがとうございます。

あなたはおそらく、小説を書きたいと思っているか、あるいは今まさに書こうとしているか、あるいはすでに何作か書いている方かと思います。小説の書き方を知りたい、学びたい、もっと上達したい、新人賞を取りたい、プロになりたい、と、動機はいろいろあるでしょう。

この本は自分の役に立つはずだ、と思っていただけるなら幸いです。だけど、こんな疑問を感じていらっしゃるかもしれません。

中村航から学ぶことなんてあるんだろうか……？　そもそも小説の書き方なんて学べるものなのだろうか……？

その問いに答えるなら、「もちろんです」。

どうしてそんなことが言えるのか、その理由について、自己紹介も兼ねてご説明しましょう。

あらためましてこんにちは。小説家の中村航です。はじめましての方も多いかもしれませんが、どうぞよろしくお願いします。

もともと僕は、小説が好きでよく読む子供ではありませんでした。だけど小説家になろう、とか、なりたい、などと思ったことは、まるでありません。小説を書く人、というのは、自分とは果てしなく遠い、幻のような存在でした。

高校は理系クラスで、大学は工業大学と、小説とは遠い感じの場所で成長しました。青春時代に夢中になっていたのはバンド活動で、プロのミュージシャンになろう、などと無謀なことを考えていました。

自分はミュージシャンにはなれないのだな、とはっきり理解したのは二七歳の時でした（遅い！）。その頃、友人が僕に（たぶん）何の気なしに「バンドやらないなら小説を書けば？」と言ったのが、すべての始まりでした。

小説を……書く？

自分にそんなことができるとは、まるで思えませんでした。実際、ＰＣの画面に向かってみましたが、何も書くことができません。どうすれば良いかな？　こうすれば良いかな？　こうすればもっとおもしろくなるかな？　と、それから試行錯誤が始まりました。その後『リレキショ』（河出文庫）で新人賞を取ってデビューするのですが、『リレキショ』を仕上げるのに二年半かかりました。時間がかかりすぎたのは、執筆が試行錯誤そのものだったからです。

どうも、僕の小説家としてのキャリアは、だいぶ特殊なようです。

デビューから数年は純文学のフィールドで書き、その後は、恋愛小説や青春小説等のエンターテインメント作品を書くことが多かったです。ミステリー要素やSF要素の入ったもの、また、エッセイやノンフィクション、児童小説や絵本やライトノベル、アニメや漫画の原作、映画の脚本、歌詞、と、気づけば自分でも驚くほどジャンルをまたいできました（だからこの本も、ジャンルに拘らず、広く応用できる内容になっています）。

いつの間にかキャリアは二〇年を超えましたが、どうすれば次の作品が書けるのか？　どうすればもっとおもしろくなるのか？　と、今も試行錯誤は続いています。この本では、そんな試行錯誤の〝結果〟を書きました。本書があれば、僕は『リレキショ』を半年で書けたはず、という本になっています。

まったく書けなかった自分ですが、今もプロの現場で書いています。そのためにかつての自分が考えて、実践し、実際に役に立ったことだけを、具体的に書きます。役に立たなかった試行錯誤は書きません。

机上の空論なら何とでも言えます。また精神論を書く（あるいは読む）のは、実は楽しかったりするのですが、そんなものは書きません。実践に基づいた、実戦的な内容を目指します。必ずや、役に立つでしょう！

また、専門用語はなるべく使わず、わかりやすく、読み物としても気軽に読めるようになっています。最後まで読んでいただけましたら幸いです。

二〇二三年十一月

中村（なかむら）航（こう）

目次

そもそも小説って何だろう

アイデアの出し方

第二章

こうすれば、おもしろくなる

物語の構造を活かそう

小説の設計――タイトル、プロット、キャラクター、ストーリー

第五章 ここだけは押さえる文章術

小説の書き出し

第七章

小説の書き進め方

小説の終わらせ方

本文デザイン　盛川和洋
本文ＤＴＰ　キャップス
図表作成　篠　宏行

そもそも小説って何だろう

僕の講座から、プロの作家が誕生した理由

断言できるのですが、僕は「小説を書くのが苦手」です。

同業の友人は多いのですが、話を聞くかぎり、自分より小説を書くのが苦手な人は一人もいません。謙遜とか自虐ではなく、冷静に比べてそう思います。

だから自分の卒業した大学の教授から、「小説の書き方」の授業をやってくれないか、と頼まれた時、無理だと思いました。こんなに小説を書くのが苦手なのに、教えられるわけないじゃないか、と。

でも、そうじゃなかったんです。

苦手意識があるし、すんなり書けないから、「小説の書き方」について、いろいろ考えます。いろいろ考えて試したことのうち、うまくいったことだけを、学生に伝えれば良い。すらすら良いものが書けるのなら、そもそも「小説の書き方」なんかに、思いを馳せないんです。

「小説の書き方」の授業は、一〇年ほど続けました。どう教えればわかってもらえるか、授業内容は、毎年、どんどん進化していったと思います。

その後、一般小説に的(まと)を絞った小説投稿サイト「ステキブンゲイ」を立ち上げることになりました。ライトノベルに特化した小説投稿サイト「ラノベストリート」も作りました。

これらの小説投稿サイトに小説を投稿してくれる方向けに、だいぶ実戦的な小説講座を開き、現在に至ります。

本書はそれらの集大成です。

僕の講座を受けて、小説の新人賞を取った生徒が、知るかぎりですが、何人もいます。今でもプロとして活躍している方もいて、それはちょっとした自慢なのですが、本書からもきっとそういう方が生まれるはずだと思っています。

小説を書くことで、人生が変わる

具体的な方法論に入る前に、まず大前提となる話をします。

みなさん、何か難しいことを考える時は、手に筆記用具（ＰＣやスマホなども含めて）を持つことが多いですよね？　そして考えたことをメモしながら、考えを深めていく、という感じかと思います。

僕らが頭のなかだけで考えられるのは、三段論法的に、A＝B、B＝C、だからA＝C、と、それくらいが限度だと思います。夏にはA＝Bだけど、冬と秋はA＝B＋1で、春にはA＝C……などとなってくると、一旦文字にするアウトプットが必要になってくるでしょう。

思考を積み上げるには、書くしかないんです。一旦書き出せば、その内容は忘れて、次の段階に進むことができる。つまり書くことによって、僕らはいろんなことを、より深く知り、より深く理解できるわけです。

本書を手に取った方は、ミステリーなのか、歴史小説なのか、恋愛小説なのか、自伝小説なのか、純文学なのか、いずれにしても、書くことに意欲がある方々だと思います。すばらしいことです。

小説を書くということは、とても豊かな旅をするということです。だって書くことは考えることそのもので、まとまった量の文章を書くことは、思考の積み上げそのものなんです。

同じ個人でも、小説を書いた人生と、書かなかった人生だったら、書いた人生のほうがより豊かになるんじゃないでしょうか。人生が何年あるかわからないですが、書くことによって、もやもやした自分の悩みや、過去や、認識を整理できる。さまざまなことをより深く理解したり、楽しむことができる。僕らは書くことで、どんどんおもしろくなれるんです。

書くことは自分を救ってくれるし、高めてくれる。これは自分の実感として、断言できます。

小説とは？

端的に言えば、小説とは文字の羅列です。

しかしながら、文字の羅列＝小説、ではありません。「あいうえお」を一万個並べても、それは小説ではないですよね？

日本語を解(かい)さない宇宙人から見れば、小説と「あいうえおの羅列」は、等価値です。読者に伝わってはじめて、文字の羅列は小説になります。伝わらなかったらただの模様です。

なので、小説とは、読んだ人の頭のなかに巻き起こる〝何か〟のことだ、と考えるのが本質的だと思います。

空を「赤い」と書いた時、読者の頭のなかに描かれる空の色は、自分の認識とはちょっと違う色かもしれません。「絶景」と書く時、「悲しい」と書く時、「らせん状」と書く時、「須く」と書く時、読者によって頭のなかに描かれるものは違うでしょう。

小説は、読者の記憶や知識の力を借りなければ、成り立たないんです。言い換えれば、読者の記憶や知識こそが、僕らの唯一の武器であり、小説を書くための道具なんです。

その道具を使って、僕らは読者の脳に「世界」を描きます。

読者の想像力も、僕らの大きな武器になるでしょう。読者の興味・関心や感受性といったものも、強力な武器になるはずです。

その武器や道具を、僕らはもっと意識すべきです。

読者の視点

前項の後半をわかりやすく言い換えると、僕らはもっと読者の視点を意識しましょう、ということになります。読者の視点を意識して書くことで、読者の知識や想像力や興味・

関心を存分に利用できるようになります。

これから小説の書き方について、アイデアの出し方、キャラクターやプロットの作り方などいろんな話をしていきます。

これらを考える時、みなさんには大前提として、〝読者の視点〟を意識してほしいんです。もちろん実際に書く時や、推敲(すいこう)をする時も同じです。

読者の視点を持つ、と言うのは簡単ですが、実はなかなか難しいことです。たとえば、読者ならどんな感想を持つだろうか、とぼんやり考えたとして、それは本当にちゃんと、第三者である読者の視点に立てているのでしょうか？

読者といってもいろんな人がいます。

自分の小説を〝読んでほしい層〟を考えて、たとえば二十代から三十代の男女、歴史小説好きの六十代男性、小学四年生から中学一年生までの女子、などと絞ってみたとしても、まだ曖昧(あいまい)なままです。

マーケティングの世界では、この〝読んでほしい層〟のことをターゲットと呼び、そしてこのターゲットに加えて、ペルソナ（persona）というものを考えるそうです。

ペルソナとは、商品の典型的な、ただ一人のユーザー像のこと。○○が好きな人、というような曖昧な姿ではなく、具体的に設定します。

たとえば――二一歳の大学生の女性で、名前は吉川あや、趣味はアニメ鑑賞で、ドトールでアルバイトをしている。横浜のマンションで同居する父と母とは仲が良くて、一緒にディズニーランドに行く。公務員試験を受けるつもりだが、受からなかったら一般企業に就職しようと思っている。毎日、必ず一時間は風呂に入る――などと、できるだけリアリティのある具体的な人間を設定します。

商品や企画を考える時、このペルソナのニーズを満たすには？　と考えることで発想のブレを防ぎます。このペルソナに刺されば、その周辺にいるターゲットにも刺さるはず、という考え方です。

ペルソナを作ろう

誤解しないでほしいのですが、マーケティングの発想を持ちましょう、という意味ではまったくありません。だけどただ一人のペルソナを明確に設定するのは、読者の視点を獲得する良い方法だと思います。

みなさんは、その人に刺さる小説を書けば良いのです。

僕は小説を書き始めた時、誰に向けて書いているのか、まったくわかっていませんでした。だから、何をどう書いたら良いのか、その方針を考える術がなかった。一～二ヶ月くらい、闇雲にスケッチのようなものを書いて、いやー違うなあ、ともんもんとしていました。

だけどある時、急に思ったんです。

「一九～二〇歳の頃の自分」に向けて小説を書こう、と。

その頃の自分が読んだら、震えるような小説を書きたいと思いました。そうすべきだし、そういうものが書きたい――。当時はペルソナなんて言葉は知りませんでしたが、今から考えるとまさにそれです。

その時、目が覚めるような感覚があって、それからデビュー作である『リレキショ』を書き始めることができました。もやもやと霧が立ち込めたうえに真っ暗だった海の真ん中で、読者の視点という、明確な羅針盤を持てたんだと思います。

みなさんもまず、誰に向けて小説を書くのか、それを具体的に考えてください。過去の自分でも良いし、未来の自分でも良い。自分に近しい人でも良いし、架空の読者でも良い。編集者のようなものを想像するのもいいと思うし、新人賞の選考委員でも良いかもしれません。

すべてはそこから始まります。

次章からは方法論的、かつ具体的に、小説の書き方を考えていきます。ぜひペルソナを傍(かたわ)らに、読んでください。

アイデアの出し方

「What」と「How」

シンプルに言うと、小説の書き方とは、「何」を「どう」書くかに集約されます。「何」をWhat、「どう」をHow、とここでは言い換えることにします。

どう書けば良いのだろう、どう書けば良くなるのだろう、どう書けば受賞できるだろう、どう書けば読者の心に響くだろう……。向上心に溢れる本書の読者は、どう書く、つまりHowについて知りたいのではないでしょうか？

言わば本書もハウツー本なわけで、このHowについては、もちろん順序立てて語っていきます。でもちょっと待ってください。その前に、Whatについてです。

小説をざっくり分けると、次の四つがあります。

①内容が興味深く（Whatの優れた）、上手でわかりやすい（Howの優れた）小説
②内容は興味深いが、下手でわかりにくい小説
③内容は陳腐だが、上手でわかりやすい小説
④内容が陳腐で、下手でわかりにくい小説

僕らが書きたい小説は、もちろん①ということになります。反対に決して書いてはならないのは④ですね。ここまでは異論ないとして、では②と③ならどちらが良い小説だと思いますか？　ぜひ、前述の読者の視点で考えてみてください。②と③、どちらの小説が、みなさんの設定したペルソナに刺さるでしょうか？

僕のペルソナ（一九〜二〇歳の頃の僕）は、②を選びました。下手だろうが読みにくかろうが、彼は新しさや驚きのある小説を読み、震えたいそうです。家電製品のマニュアルや約款（やっかん）の注意書きなら③ですが、小説なら②なんだそうです。

みなさんの〝彼〟や〝彼女〟はどうでしょうか？　やっぱり②なんじゃないでしょうか？　Ｈｏｗ（どう書くか）は大事ですけど、Ｗｈａｔ（何を書くか）はもっと大事なんじゃないでしょうか？

いや、③のほうが良いなあ、とか、そこはどっちでも良いかなあ、という方は、本章は飛ばして読んでください。そういうケースも本当にあると思います（内容についてはおもしろかろうがおもしろくなかろうが、自分の書くことは決まっているんだ、という方とか）。

何を書くか？

小説家を目指している、という人の書く小説を読んで、惜しいな、と思うことがあります。たとえば文章が乱雑だったり、構成が良くなかったり、テーマの掘り下げが甘かったり、作品として終われていなかったり……。

ただ、そういう作品に対しては、アドバイスできます。作者が推敲するなり、組み立て直すことによって、すばらしいものに生まれ変わる可能性があるからです。

一方、優れてはいても、あまりアドバイスをしても仕方ないな、という小説も多いです。そういう作品に対しては、惜しいな、というより、もったいないな、という感想を持ちます。

文章はきれいだし、構成も巧みで、テーマも掘り下げられている。だけど……、既視感がある。それはすでにいろんな人が書いているし、小説以外のメディアでもテーマになっていたりする。それを上手く書いても、どこにも到達しないかもしれないな、と思ってしまうのです。

どれだけ上手く書いても、何らかの新しさがないと、特に評価を受ける場では厳しいです。テーマなり、題材なり、キャラクターなり、舞台設定なり、トリックなり、それらの組み合わせなり、新規性やオリジナリティはおもしろさに繋がります。既視感があるものを、読み手はおもしろいとは感じません。

「どう書くか」でオリジナリティを出すこともできますが、「何を書くか」でオリジナリティを出すほうが遥かに簡単です。だから書き手は「どう書くか」の前に、「何を書くか」にもっと自覚的であるべきだし、書き出す前によく考えるべきです。そしてその「何を書くか」は、みなさんのなかにちゃんと眠っているはずです。

「何を書くか」の「何」は、書き手のなかにしかないので、誰かが与えたり教えたりすることはできません。でも安心してほしいのですが、新規性やオリジナリティの種は、自分のなかに必ずあります。

みなさんが「何」を書くべきか、今からそれを発見する手伝いをしたいと思います。

あなたと作家に大差はない

先人の作品は偉大なものです。自分の好きな作品や、尊敬する作家の作品を読んで、こんなにおもしろいものを自分が書けるわけがない、と思ったりしていないでしょうか？僕もはじめて小説を書いた頃は、そんな思いで怯むばかりでした。

当時、熱中して読んでいたのは、村上春樹、吉本ばなな、江國香織、椎名誠、川上弘美、角田光代、といった今も活躍する、キラキラした方々の小説でした。こんなにすごいものが書けるわけないよ！　と心から思ってました。自分よりほんのすこし前にデビューした長嶋有さんの処女作を読んだ時も震え上がりました。夏目漱石、太宰治、宮沢賢治といった文豪の作品を読んでも同じです。こんなおもしろいもの書けるわけないよ！

そりゃそうだよな、今にしてみれば思います。

小説というのは一行一行書いていきます。その膨大な積み重ねが作品になって、我々の心を打ちます。これから最初の一行を書き始める人に、先行作品が巨大に見えるのは当たり前のことなんです。

尊敬する作家が最初の一行を書くあたりを、イメージしてください。そしてこう思うと良いのではないでしょうか（真心ブラザーズの「拝啓、ジョン・レノン」を聴きながら）。

——あなたと自分に大差はないのさ。

これは、表現を志すならこれくらいのことは思うべき、という〝精神論〟かもしれません。だけどただ精神論というだけではなく、〝方法論〟としても言っています。「あなた」を尊敬しながら、「あなた」とはすこし違ったものを目指せば良いんです。その〝違い〟は自分のなかにあるはずです。わかりやすく説明するために、大きなことを言ってしまおうと思いますが、実際、僕と村上春樹だって大差はないんです。いや、実際のところはともかく、そう仮定するとしましょう。

村上春樹さんは、作家になる前、ジャズ喫茶を経営されていたと聞きます。僕はいかなる店も経営していませんが、六年間、工場で働いていました。

そういった違いで小説を書けば良いんじゃないでしょうか？　夏目漱石だって、僕のようにバンドを組んでいたわけではないんです。

偉大な作家と大差ない、あなたのなかにある「何か」をこれから発見していきましょう。

そして蛇足かもしれませんが——、好きな作品や尊敬する作家に着目して、自分の作品を考えることは有用です。だけどその逆はまったく意味ありません。

プロの書いた作品で、この程度のものなら自分にも書ける、と思ったことはないでしょうか？　正直、僕にもありましたし、みなさんにもあるんじゃないかと思います。でもそこに着目しても、自分の作品を高めることには繋がりません。

下を探すことより、上を見つめましょう。

枠からはみ出そう

次の図を見てください。九つの丸（○）が等間隔で並んでいます。この丸を、四本の直線となる一筆書きですべて繋いでください。

○ ○ ○
○ ○ ○
○ ○ ○

すぐにできた方もいるかもしれませんが、なかなかできなかった方もいるかと思います。正方形の枠を直線で結ぶと丸が一個余ってしまい、それでどうしたら良いのか、迷うのではないでしょうか。ちなみに答えは次の通りです。

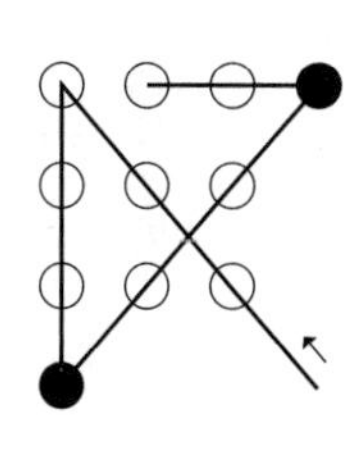

このように、相合傘(あいあいがさ)を書く要領で線を描くと、すべての丸を繋ぐことができます。便宜上、正方形からはみ出した二つの黒丸（●）を書きましたが、この二つがはじめから書いてあれば、正答率はかなり上がるはずです。

つまり、問題をぱっと見た時、誰もが正方形の枠に囚(とら)われてしまうため、解答に至るのが難しくなりますが、その枠からはみ出すことで、正答が出たわけです。

この問題に象徴させたかったのは、〝僕らは何かを発想する時、ありもしない枠に囚われている〟ということです。

小説っぽいものを書こう、などというのは、まさに〝ありもしない枠〟です。もっと自由に、もっと個別に、もっと柔軟に発想すれば、二つの黒丸はすぐに発見できます。

僕らはものを考える時、自由に発想しているように思えても、論理性や倫理観、また格好つけたいという気持ちや失敗したくないという気持ち、こういった自分のなかの枠に囚われています。

その枠を外すための発想法が、次に挙げるブレインストーミングです。

ブレインストーミング

ブレインストーミング（頭脳の嵐）とは、ご存じの方も多いと思いますが、自由に意見を出し合うことで、新たな発想を生み出す会議手法です。

どうすればうまくいくだろう、正解はどれだろう、どちらのほうがメリットがあるだろう、リスクはどっちが高いだろう、といった感じに、僕らは普段ものを考えています。普段はそれで良いかもしれませんが、アイデアを引き出す時には、論理的にものを考えないほうが良いです。

論理的に考えるのではなく、自由に発想することで新しいアイデアは出てきます。みなさんが「何」を書くのか、もっと自由に発想してみてほしいんです。自分のなかで論理性の枠を外すことで、アイデアというものはほぼ無限に湧き出てくるはずです。

問題は、僕らが自由な発想方法に慣れていない、ということです。

僕らは子供の頃から、すこしでも論理的な思考ができるようにと、頑張って生きてきました。自由な発想法に、知らず知らず蓋(ふた)をしてきてしまったんです（そうしないとうまく生きられない！）。そこでブレインストーミングの出番です。ここはちょっと本気で、一人でブレインストーミングをやってみましょう。

まずは僕らの思考方法を、二つに分類してみます。

Ⓐ論理的にアイデアを出す思考方法

Ⓑ自由にアイデアを出す発想方法

アイデアを出そう、となった時でも、僕らはⒶの思考方法をしがちです。「何を書くか」について考えていても、それじゃあおもしろくないんじゃないか、とか、そんなものが書けるわけがない、とか、自分はその世界に詳しくない、とか、それでは売れるわけがない、とか、恥ずかしい、とか……書けない理由ばかりに囚われてしまっては、凡庸(ぼんよう)なアイデアしか出ません。

そんな枠に囚われているのはもったいないと思いませんか？ 世界にたった一人の「あなたという個性」は、もっと自由にアイデアを出せるはずだし、もっと斬新なことを、いくつも思いつくはずです。

だからブレインストーミングでは、一旦、頭のなかからⒶの思考方法を、脇に追いやります。そしてⒷの思考方法のみで嵐のようにアイデア出しをしてみてください。アイデア出しを阻害する常識とか、論理性とか、虚栄心とか、欲とか、羞恥心(しゅうちしん)を、一旦、完全に捨て去るイメージです。

Ⓑの発想方法だけでものを考えるなら、アイデアは次々に湧き出ます。あなたを阻害す

る枠は何もありません。思いついたアイデアを、頭のなかでいちいち検証する必要もありません。

制限時間を設けると良いと思います。その間にアイデアを無尽蔵に出していくのがブレインストーミングです。こんなこと書けるわけがない、とか、これは恥ずかしいな、とか、そういうブレーキを書けずに、ひたすら「何を書くか」のアイデアを出す。

アイデアを出しきったあとに、Ⓐの思考方法で、論理的に検証すれば良いんです。

アイデアを付け足す

三分とか五分で良いと思います。みなさん、ＰＣの前で、あるいはノートと鉛筆を持って、ブレインストーミングをやってみてください。

ここでのテーマは「何を書くか」です。もうすこし嚙み砕くとこんな感じでしょうか。

・自分が書くべきもの

・自分が書きたいもの

・自分が書けるかもしれないもの
・今は無理だけど、もしかしたらいつか書くかもしれないもの

この四つについて、脳のストッパーを外して、次々に発想していってください。順番は気にせず、思いついたものからどんどん書いてみてください。くれぐれも論理的な思考や、アイデアの反芻(はんすう)は禁物です。自分のアイデアを検証しようとせず、ただただ書けば良いんです。論理的なことはあとで考えましょう。

仮タイトルみたいなものを書いても良いし、テーマみたいなことを書いても良いです。他者に向けて書く必要はないので、自分にわかればそれで良いです。

そして一つのアイデアに対する便乗はどんどんしてください。便乗してアイデアを次々付け足すんです。0から1より、1から2とか2から3のほうが、アイデアは出やすい。だから一つのアイデアには、どんどん便乗すべきです。

たとえば僕が、「サッカー部にいた頃の話」と書いたあとに、さらに思いついた「スーパー・バイオレンス・ショット84」とか、「砂場でオーバーヘッドキックの練習」とか、

「ウチノの家で焼きそばを食べた」とかを書くのはすばらしいことです。そこから「大学生になって、焼きそばをはじめて作った」とか、「ウチノの妹に東京で会った」とか、ともかく思いついたことを書くのもすばらしいです。

それが小説になろうがなるまいが、とにかく自由にアウトプットする練習だと思ってください。

三分間のブレインストーミング、ぜひやってみましょう。

発想を広げる三分間

どうだったでしょうか？　たった三分程度、本気でやっただけで、結構な数のアイデアが出たのではないでしょうか？

アイデアが出たら、検証してみてください。この三分間のブレインストーミングの結果のなかに、何か一つや二つ、光るアイデアがあるのではないでしょうか？　おもしろそうだな、と思える「何か」があったら、そこを中心にさらに発想を広げるブレインストーミングを、もう一度やってみましょう。

これはたった三分のアイデア出しです。三〇分とか、三時間とかではなく、たった三分で結果が出るんです（やり方として三時間よりむしろ三分のほうが良いと思います）。

では、これを毎日やったらどうなるでしょう？

成果はもちろん出ます。それに加えて、クセがつくというか、論理的な思考に慣れきった脳から、自由な発想をすぐに引き出せるようになるはずです。アイデア王になれるわけですね。

そして、もう一つ。

今やったブレインストーミングで出てきたアイデアは、自分の知識とか経験したこと、つまり「記憶」に偏（かたよ）っていたんじゃないかと思います。でも探すべき「何か」は「記憶」だけじゃない。自分の持っているカードは、知識や経験だけではないのです。

自分の知りたいことや、経験したいことや、考えたいことや、想像したいこと、つまり興味や、関心や、好奇心や、探究心も、自分のなかにあるカードです。

小説には、知っていることを書く側面もありますが、知りたいことを知るために書くという面も強いんです。

再びブレインストーミングをするなら、次のように柔軟な項目を立ててみてはどうでしょうか？

・過去の出来事／未来に起こるかもしれないこと
・興味があること／興味を持ちたいこと／かつて興味を持ちかけたこと
・好きなこと・もの／好きになるかもしれないこと・もの／最近嬉しかったこと
・自分が詳しいこと・人／知りたいこと・人／知りたい人たち
・わからないけど理解したいこと／わかっているつもりだけどもっと考えてみたいこと

記憶をただ書くだけでは、それは創作ではなく記録です。自分の記憶を見つめて再構築するのが小説です。その際にキーになるのは、自分の好奇心や探究心です。

短時間のブレインストーミングで、ぜひそれを掘り起こしてみてください。

オリジナリティは組み合わせで作る

ブレインストーミングの結果、「何を書くか」が見えてきたのではないでしょうか？

それが自分の「書くべき」ものだと思えるなら、ぜひそれを書いてください。それを書くことにはきっと意味がありますし、あなたはそれを書くべきです。「書きたい」「書いてみたい」と思えた題材やテーマも同じです。書く意味や価値はきっとあります。

でも、すこしだけ立ち止まってください。「書いても良い」というくらいの感じだったら、なおさらちょっとだけ立ち止まってみてほしいです。それを書く意味はきっとあると思うのですが、オリジナリティというものを考えてみてほしいんです。

読み手の立場からすれば、やっぱり新しいものが読みたいです。今まで誰も言語化してこなかったことや、まだ誰も物語にしていない題材は、それだけで価値があります。

いや、そんなオリジナリティなんて、自分には出せないよ、と思われるかもしれませんが、本当にそうでしょうか？　あなたとまったく同じ人はこの世にはいません。だったら何らかのオリジナリティは作れると思いませんか？

僕は小説家になる前、「写真を焼く機械」を作る工場で働いていました。「月に吠える」

（文春文庫『ぐるぐるまわるすべり台』所収）を書く時、そこを舞台にしました。もし、みりん工場で働いていたなら、そっちを舞台にしていたと思います。

オリジナリティといっても、そんなことで良いんです。たぶん、「写真を焼く機械」を作る工場を扱った小説は他にないですし、その舞台設定によって、たとえば車の工場を舞台にした小説とは、ちょっと違うテイストになったと思います。小説を書くうえで、体験というのは強いですから、リアリティも出せたし、体験から派生したアイデアも出たと思います。

オリジナリティを、神聖なものと考える必要はないです。逆に、高度に情報化されたこの世の中にはもう、オリジナルなんてものはないんだ、と開き直る考え方も、クリエイターにとっては無意味です。

たとえばみなさんのなかに、生花店でアルバイトをしている、あるいはしていた人はいるでしょうか？　それって普通のことのように思えますけど、充分オリジナリティの種になるんじゃないでしょうか？

オリジナリティは〝組み合わせ〟に宿ります。

ぱっと思いつくテーマは、およそ誰かがすでに取り上げていますから、組み合わせを考えてみましょう。たとえばバンドものの小説、というだけでは新規性はありませんが、バンド×生花店の小説、となると、とたんに新しくなりますよね。ダム×バンドでも良いし、生花店×料理でも良い。

目の前には無限のオリジナリティがあるのに、ありがちなテーマや流行のモチーフをなぞるのはもったいないと思います。

あなたは〝普通〟ではない

一つ、嘘みたいだけど本当にあったエピソードを紹介します。

ある時、仲の良い友だちから相談を受けました。彼の友人が小説を書いているんだけど、なかなか新人賞で二次選考より先に進めない、何かアドバイスはないか？　と言うのです。書いている小説は、恋愛要素のある学園もの、とのこと。

んー、アドバイスといっても、読んでみないと何とも言えないしな、と、あとは雑談になってしまいました。その彼がどんな人か、とか、どんな小説が好きなのか、とか。

すると、彼はPCストアでアルバイトをしていることがわかりました。家ではだらけてしまうので、毎日バイト終わりにカフェに行って、二時間くらい小説を書いている（偉い！）。そして休日には、友人とカートのレースをしているということでした。

「いや、それを書いたほうが良いよ。そのカートのレースの話を！」

ということをすぐに言いました。恋愛要素のある学園ものが書きたいなら、それにカートのレースを組み合わせれば良いし、今すぐ書いたほうが良い。むしろ今までなぜ書かなかったのかわからない、と。

このアドバイスらしきものが、彼にどのように伝わったのかはわかりません。しかしその一年くらいあとに、彼はその小説で賞を取ってデビューしたんです。すごい！

これ、本当の話なんです。

彼にとって、人伝（ひとづて）に聞いた僕のアドバイスなんてものは、単なるちょっとしたきっかけだったと思います。いつか誰に言われなくても、その小説を書いていたでしょう。

ただ、本当にそうなんだな、と思ったのは、自分にとっては自分が一番普通で、一番おもしろみがないのかもしれない、ってことです。でも実際にはそんなことはないですよね。あなたとまったく同じ人はこの世にはいないんです。

だから繰り返しになりますが、他者の視点を獲得することは、とても大事です。自分を取材する他者（たとえば中村航でも良いです）が、自分のなかで一番興味を持つことってなんだろう、って考えてみると良いでしょう。

ブレインストーミングで掘り起こした自分の要素を、ぜひ敏腕記者になったつもりで眺めてみてください。友人や仲間に聞いてみるのも良いかもしれません。

第二章

こうすれば、おもしろくなる

小説の〝おもしろさ〟とは？

僕はおもしろい小説を書きたいです。みなさんも同じだと思います。本章では、小説をおもしろくする方法について考えていきます。

しかしそもそも、小説の〝おもしろさ〟って何だろう？　と考えてみると、曖昧模糊とした答えしか浮かびません。

わはは、と笑うのも〝おもしろさ〟ですし、興味深さも〝おもしろさ〟ですし、悲しさや気持ち悪さや震えを喚起するのも〝おもしろさ〟と言って良いでしょう。読んだあとの余韻や感動も〝おもしろさ〟です。おもしろさをどこに感じるかは人それぞれで、簡単に定義するのは難しいかもしれません。

難しいと言って終わらせるわけにはいきませんから、次のように言い切ってしまいます。

――小説の〝おもしろさ〟とは、〝読者がページをめくる原動力〟のなかにある。

なぜなら、読者はおもしろくなかったらページをめくらないからです。おもしろいからこそ、読者はページをめくり、小説を最後まで読んでくれるんです。笑えたり、興味深かったり、悲しかったり、理由はいろいろあるでしょうが、ともかくページをめくらせる力こそがおもしろさである、というわけです。

つまりこの力を自分のものにすれば、あなたはおもしろい小説が書けるということです。

ここからは、その力について、具体的に紐解(ひもと)いていきます。

読者がページをめくる理由

では、読者がページをめくる原動力って何なのでしょうか？　どうして読者は文字を追い、ページをめくるのでしょうか？

時間というものに着目して、この理由を分類すると、以下の三つの理由になります。

①未来が気になる
②過去が気になる
③現在起きていることが気になる

シンプルに、この三つが、小説のおもしろさを構成しているのです。
①と②と③を、自分の小説のなかに意識的に組み込めば、読者はページをめくり続けてくれます。①だけでも良いし、②だけでも、③だけでも良いでしょう。でも①と③の両方があったら、もっと強いです。三つ全部あったら、これはもう、ページをめくる手は止まりません。
①、②、③、の順に難易度は高くなります。
まずは①から順に、じっくり考えていきましょう。

未来が気になる

主人公が大ピンチに襲われているとします。読者は、どうやってこの事態を切り抜けるんだろう？　とハラハラします。
これこそが、①未来が気になる、です。他にも想像しやすいものを挙げてみます。主人公としていますが、主人公でなくても構いません。

・主人公が何かに迷っている。↓どんな道を選ぶのだろう。
・主人公は○○したいが、難題が山積みだ。↓どうやって解決するのだろう。
・主人公と○○の関係性があやふやだ。↓二人はどんな関係性になるのだろう。
・主人公には深い悩みや葛藤がある。↓悩みや葛藤は晴れるのだろうか？
・主人公にはやるべきことがある。↓ちゃんと遂行できるのだろうか？
・主人公に良いことや悪いことが起きそうだ。↓どうなってしまうんだろう？

こんな感じに、読者は未来が気になるから文字を追ってくれます。〝未来〟という言葉を、〝結果〟や〝結論〟と言い換えても良いです。読者は〝結果〟や〝結論〟を得るために次のページをめくっているのです。

時系列に沿って物事(ものごと)を書いていけば、話は未来に向かいます。だから、この〝未来が気になる〟を小説のなかに仕掛けるのは、そんなに難しくありません。

意識すべきなのは〝発端〟です。たとえば、「主人公が何かに迷っている」という〝発端〟にするなら、それをしっかり書くわけです。ああ、本当に迷っているんだな、それは確かに迷うよな、と読者が感じることができれば成功です。

Aという出来事が起きた。次にBという出来事が起きた。などとぼんやりと、スゴロクのように書いてはいけません。

どうなる？　どうする？　というように、未来に〝謎〟を仕掛けるつもりで、発端を書いてください。その〝謎〟がおもしろさに繋がります。

過去が気になる

たとえば、主人公が泊まっていたホテルで、殺人事件が起きたとします。容疑者が複数います。一体、誰が犯人なんだろう、と、読者は知りたくなります。

これが、②過去が気になる、です。読者は過去に起こった〝何か〟を知りたいわけです。こちらも他の例を挙げましょう。主人公としていますが、主人公でなくても構いません。人ではなくて、物や社会情勢だったりすることもあるかと思います。

・主人公には秘密がある。↓何を隠しているんだろう。
・主人公が変わった職業に就いている。↓どうしてその職業に就いたんだろう。
・主人公のことがよくわからない。↓何者なんだろう。どんな過去があるんだろう。
・主人公と○○の仲が悪い。↓二人の過去に何があったんだろう。
・主人公に謎の口癖や行動がある。↓どうしてそんな感じになったのだろう。

どうしてそうなった？　なぜなんだろう？　読者はそれを知りたくて、文字を追います。〝過去〟という言葉を、〝理由〟や〝原因〟に置き換えても良いです。〝過去〟を知りたいというのは、〝理由〟や〝原因〟を知りたいということです。

①よりも②のほうが難しい、と書きましたが、ちゃんと意識しないと〝過去が気になる〟は、小説に組み込めません。時間は現在↓未来、と進みますから、小説も時系列通り、原因↓結果、という順に書きがちなんですね。

僕らは、〝原因があって結果がある〟という考え方に慣れています。でも理由を先に述べて、次に結果を書くというのでは、過去は気になりません。では、どうすれば良いか。

簡単に言います。

——結果を先に書く。

小説をおもしろくするには、死体が転がっていた、というように結果を先に書くのです。〝意外な結果や結論〟を先に書くことで、読者は勝手に理由や原因を知りたがってくれます。

意外な結果を先に書くことで、どうして？ なぜ？ という〝謎〟を仕掛ける。その謎がおもしろさ（ページをめくる原動力）に繋がるのです。

未来と過去、どちらも気になる

ただひたすら謎を解いていく（ただひたすら過去が明らかになっていく）小説も良いでしょう。あるいは、ただひたすらピンチを切り抜けていく（ただひたすら未来に向かって進む）小説も良いかと思います。でもそれだけでは物足りないと思いませんか？

実際、現代のおもしろい小説には、〝未来に仕掛けた謎〟と〝過去に仕掛けた謎〟の両方があります。そして、どちらの謎がメインなのか、という違いがあったりするのです。つまり、メインとしては未来に向かいつつ過去にも向かう、メインとしては過去に向かいつつ未来にも向かう、二つの構造があるということです。

簡単に考えるために、小説のプロット（あらすじのようなもの）を、メインとサブの二つに分けて考えます。

未来に向かうのがメインなら、メインプロット（主あらすじ）が、発端から始まり未来に向かいます。そしてサブプロット（副あらすじ）では、過去が徐々に明らかになっていく、という感じです。その逆もあるということですね。

それぞれ例を挙げておきます。

Ⓐ未来に向かいつつ過去に向かう例

・未来に向かうメインプロット（主あらすじ）でやること

主人公はヒロインと衝撃的に出会った。↓この二人の恋はどうなるんだろう？

・過去に向かうサブプロット（副あらすじ）でやること
ヒロインは主人公とはつきあえない理由がある。↓実は過去のある出来事がトラウマになっていた。

Ⓑ過去に向かいつつ未来に向かう例
・過去に向かうメインプロット（主あらすじ）でやること
主人公の祖父が蒸発した。↓祖父はなぜ蒸発したんだろう？
・未来に向かうサブプロット（副あらすじ）でやること
主人公は重要な仕事を任された。↓その仕事はうまくいくんだろうか？

重要なのは、このメインプロットとサブプロットが交差する、ということです。その交差するポイントこそが、小説のクライマックスになります。

クライマックス！

メインプロットとサブプロットが交差する、とはどういうことでしょう？

左の図をご覧ください。メインプロットが進みつつ、サブプロットが進み、それが交わ(まじ)ったところがクライマックス、という概念を表現しました。

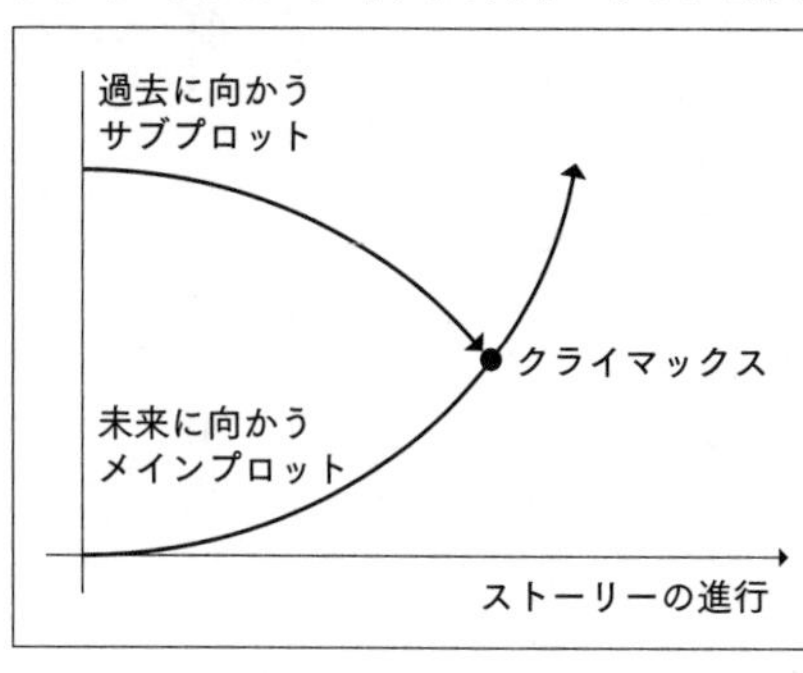

この図と、前項のⒶを当てはめてみましょう。

メインプロットのほうで、主人公とヒロインの恋が進みます。だけどなかなかうまくはいきません。同時にサブプロットが進行します。ヒロインのつらい過去がだんだん明らかになっていきます。だけど主人公の助けもあって、ヒロインはそのトラウマを乗り越えることになります。その瞬間こそが、図の交点です。それによってメインプロットにおける二人の恋の障害がなくなり、二人の恋は劇的に前進することになるわけです。

メインプロットとサブプロットの交点がクライマック

スということですが、サブプロットが完結するところがクライマックスと考えても良いです。ポイントは、サブプロットとメインプロットが交わる、ということです。

前項のⒷだと、メインプロットとサブプロットは、全然違う話のように見えます。だからこれらに、交点が生まれるような工夫をするんです。

たとえば、祖父の過去を探ることで仕事のヒントを得て、仕事が上手くいった、という感じにすると、サブプロットとメインプロットの交点が生まれます。

次項で、もうすこし具体的に説明しましょう。

『シン・桃太郎』を作る

ここでは、誰もが知っている昔話『桃太郎』を題材にします。桃太郎が本来どんな話なのかはさておき、僕らが知っているストーリーは以下のようなものです。

桃から生まれた桃太郎が、鬼ヶ島に鬼を退治する旅に出発し、金銀財宝を持ち帰って幸せに暮らす。

これが桃太郎のあらすじです。これは「これからどうなるんだろう？」という未来に向かうプロットですね。

ではこの昔話をモダンにするために、サブプロットを加えることを考えてみます。メインプロットが未来に向かっているので、サブプロットは過去に向かうことにしましょう。過去に謎を仕掛ける、ということです。

んー、どうしようかな、というところですが、桃太郎は桃から生まれています。川から流れてきた桃から男児が生まれる、って、相当な〝謎〟ですが、昔話のなかで、この〝謎〟が解き明かされることはありません。

だったら、これをサブプロットとして考えてみましょう。過去に何があって、桃太郎が桃から生まれることになったのかを、まず考えてみます。

何でも良いのですが、たとえば以下のような設定にしました。

かつては赤鬼、青鬼の他に、桃鬼という種族がいた。鬼同士の争いの末、桃鬼は絶滅寸前に追い込まれた。桃鬼のリーダーは、自分たちの種族が完全に滅んでしまう前に、唯一残った赤子を、桃のなかに閉じ込めて川に流した……。

やりすぎかもしれませんが、この設定を活かして『シン・桃太郎』のサブプロットを作ると、どうなるでしょうか?

布石、伏線

サブプロットは、実はいくつあっても構いません。『桃太郎』で言えば、おじいさんやおばあさんの過去をサブプロットにしても良いし、犬やキジの野望とその達成をサブプロットにしても良いです。桃太郎の恋や悩みをサブプロットに加えても良いでしょう。

大きな話でも、ちょっとした話でも良い。今回は一番重要なサブプロットを次のようにしてみます。

父や母を知らなかった桃太郎は、旅をするなかで自分のルーツが桃鬼であることを知っていき、やがて桃鬼の力を自分のものにする。

このプロットとメインプロットの交点を、先ほど示した図のように、クライマックスにすれば良いわけです。

サブプロットは、クライマックス近くになって動き出すわけではなく、最初から、ちょいちょい顔を出します。つまり、桃太郎が桃から生まれて成長していくメインプロットのなかに、さりげなく織り込むと良いでしょう。

たとえば桃太郎自身が、鬼ごっこをした時にとんでもない力を出してしまった、とか、犬に「あなたは本当に人間ですか？　大きな力を感じます」と言わせるとか、おばあさんに「昔は赤鬼と青鬼の他にも鬼がいたそうじゃ」と言わせるとか……。

これは、いわゆる布石とか伏線とか呼ばれるものです。そしてそれらが回収されるのが、メインプロットと交わる交点（クライマックス）ということになります。

たとえば、こんなクライマックスシーンになります。

鬼との決戦に挑んだ桃太郎は、敗れそうになってしまう。犬、猿、キジも捕らえられた。勝ちを確信した鬼の親玉は、それでも負けを認めない桃太郎に、あることを告げる。

かつては赤鬼、青鬼の他に、桃鬼という種族がいた。鬼同士の争いの末、桃鬼は絶滅した。お前の諦めの悪さは、まるでその桃鬼のようだな……。

桃鬼――。桃太郎は子供の頃のことを思い出した。鬼ごっこをした時、自分が鬼だと自覚したらとんでもない力が出た。自分はもしかして……。薄れゆく意識のなかで、桃鬼族としての記憶がよみがえっていく。桃鬼のリーダーは、自分たちの種族が完全に滅んでしまう寸前に、唯一の赤子を、桃のなかに閉じ込めて川に流した……。それが自分……。そうだ……自分は……鬼なのだ！

覚醒した桃太郎は、桃鬼としての秘められた力を解放し、鬼を一刀のもとに斬り捨てた。

おもしろい小説に共通する構造

『シン・桃太郎』はどうでしたか？　あらためて、クライマックスの原則を記します。

――未来へ向かうプロットと過去へ向かうプロット、その交点がクライマックス。

好きな小説を分析してみましょう。このロジックが当てはまったりしないでしょうか？　実は書き手がそれを意識せずとも、この構造になっているケースも多いと思います。

犯人を追いかける主人公。ようやく捕らえた時、犯人と主人公の関係が解き明かされる――。と、たとえばこういったものです。

拙著『トリガール！』（角川文庫）では、坂場が過去を乗り越えた瞬間、人力飛行機アルバトロスが空に飛び立ちます。同じく拙著『デビクロくんの恋と魔法』（小学館文庫）では、デビクロ通信第一号の謎が解けた時、主人公はヒロインへの告白へと走り出します。

どうでしょうか？　さきほどご説明したように、読者がページをめくる理由は、①未来が気になる、あるいは②過去が気になる、です。この両方がクライマックスに向けて展開していく。シンプルな考え方です。そんな小説なら、自分にも書ける気がしませんか？

要はメインプロットに対するサブプロットを考えるのと、二つの交点を考えるだけで良いんです。純文学であれエンターテインメントであれ、おもしろい小説の構造はこうなっていることが多いです。

未来に向かいながら過去に向かう、過去に向かいながら未来に向かう。ぜひ、この構造を意識してみてください。

現在起きていることが気になる

最後に、③現在起きていることが気になる、ですが、これが一番難しい、と書きました。難しいとは、教えるのが難しい、ということです。

でも小説を書くうえにおいては、これが一番の醍醐味と言えます。

繰り返しになりますが、これからどうなっていくのか？　もしくは、どうしてこうなってしまったのか？　おもしろい小説には、未来と過去に仕掛けられた二つの謎があります。

逆に言うと、これらのない小説はつまらないです。頭のなかに問いかけがないなら、読者は作業として文字を追っているだけなんです。結果も理由も気にならない小説など、誰も読んではくれません。

しかしながら、それでも読者にページをめくらせる方法が一つあります。それが③です。〝現在起きていることが気になる〟なら、読者は絶対にページをめくってくれます。

『桃太郎』に話を戻しますが、先にも言った通り、『桃太郎』は未来に向かうばかりで、②過去が気になる、がまったくありません。かといって、①未来が気になる、もそんなにあるわけではない。桃太郎が鬼に勝つかどうか、あまりハラハラはしませんよね。

実は『桃太郎』は、③現在起きていることが気になる、で読ませている物語なのです。

桃から男児が生まれる、というのは謎を立てているのではなく、インパクトがあるだけです。つまり突飛な現在がおもしろいんです。別に誰も、なぜ？　とは思っていません。

どんぶらこ、どんぶらこ、と桃が流れてくるのも、不思議な節回しでおもしろいです。鬼を退治しに行く、と言っている桃太郎に、きびだんごを持たせるのも奇妙でおもしろいです。そのきびだんごで、犬、猿、キジを使役するのも愉快です。犬と猿はまだわかりますが、キジというのは意外性があって惹きつけられます。

このように、『桃太郎』は構造としては〝未来が気になる〟小説ですが、〝現在起きていることが気になる〟で読ませている物語、ということになります。

理想の小説

③現在起きていることが気になる、を演出する方法を、桃太郎を例に説明します。

まずは、「桃から男児が生まれる」という突飛な設定です。突飛であったり、新しかったり、なさそうでありそうなギリギリのラインだったりする設定に、人はどうしようもなく惹かれます。

次に、どんぶらこ、どんぶらこ、という擬音。これは表現のおもしろさです。美しい文章であったり、個性的な比喩であったり、文章そのものがおもしろかったなら、読者はページをめくってくれます。

さらに、犬たちを使役するきびだんごというアイテム。出てくるアイテムや場所の、新規性や意外性も、現在のおもしろさに繋がります。

最後に、キジ。こちらはキャラクターのおもしろさ、ということにしておきます。登場人物が魅力的であれば、ストーリーに関係なくファンがつきます。台詞(せりふ)や言い回しがユニークだったり、思想が個性的だったりすると、その登場人物を好きになります。そして、好きな人を目で追うように、読者はページをめくってくれます。

話をまとめると、〝現在起きていることのおもしろさ〟は、次のように分類できます。

・設定のおもしろさ
・文章表現のおもしろさ
・アイテムのおもしろさ
・キャラクターのおもしろさ

他にもあるかもしれませんが、大きくはこの四つかと思います。

それぞれどうすればおもしろくなるかは、第四章〜第七章でお話しします。なので、ここでは一旦、この話は飛ばしますが、ともあれ僕らが目指すべき小説の姿がクリアになってきたのではないでしょうか。

理想の小説とは、未来と過去が気になり、かつ現在起こっていることや表現そのものがおもしろい小説、ということです。

物語の構造を活かそう

物語とは？

物語という言葉はよく使われますが、物語ってどんなものなのでしょうか？　ここでは〝物語は以下の構造を持つ〟と定義します。71ページの図をご覧ください。

主人公は、日常から非日常に行って戻ってきます。そして戻ってきた時、主人公は成長（変化）しています。

『桃太郎』もこの一例です。主人公の桃太郎は鬼ヶ島という異国へ旅をし、鬼を倒して名声と金銀財宝を得て戻ってきます。まさに日常から非日常への冒険をし、主人公が成長している物語です。

イギリスの児童文学『不思議の国のアリス』（ルイス・キャロル）も同じ構造です。服を着た白うさぎを追いかけて穴に落ち、夢のような冒険をして（実際は夢だったのですが）現実に戻ってくるという話です。結果、主人公の成長や変化があります。

『浦島太郎』（作者不詳）、『銀河鉄道の夜』（宮沢賢治）、『坊っちゃん』（夏目漱石）、『オズの魔法使い』（ライマン・フランク・ボーム）、『指輪物語』（ジョン・ロナルド・ロウエル・トールキン）なども、この構造になっています。

大作であるほど、この構造がわかりやすいです。映画だと『千と千尋の神隠し』（宮崎駿監督）、『スター・ウォーズ』（ジョージ・ルーカス監督）、『スタンド・バイ・ミー』（ロブ・ライナー監督）など、枚挙に暇がありません。RPGゲームや漫画でも、典型的な例はいくつも見つかります。神話や伝説では言うに及ばずです。

物語の構造

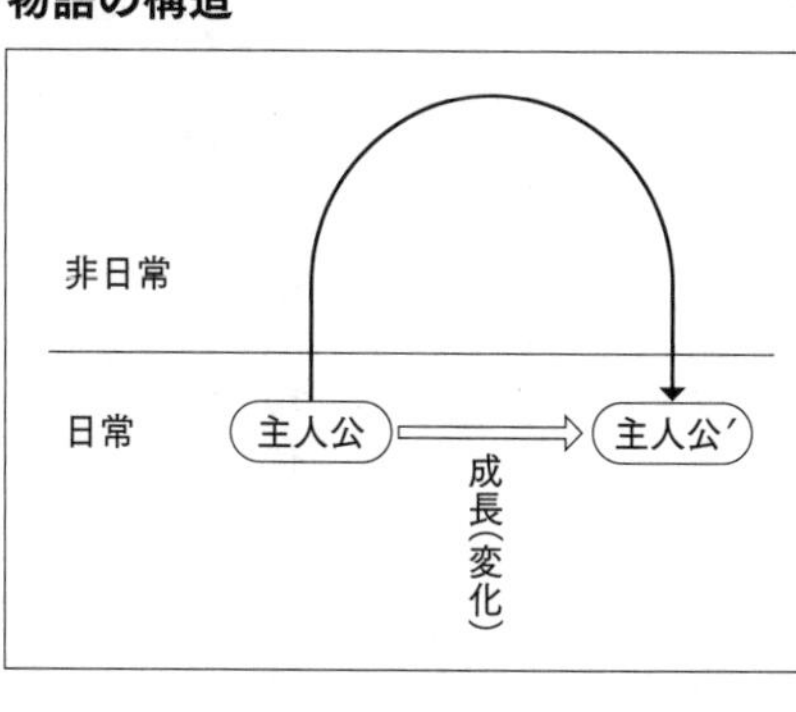

逆のパターンも

現在→過去→現在、と進む作品を読んだことはないでしょうか？

時系列で言うと、たとえば①→②→③→④→⑤、と進んでいる出来事を、⑤の前半→①→②→③→④→⑤の後半、などに構成した小説（拙著『デビクロくんの恋と魔法』もそう）です。

⑤の前半がプロローグで、⑤の後半がエピローグになっていることが多いかもしれません。映画『タイタニッ

ク』（ジェームズ・キャメロン監督）もそうですね。現代のタイタニック号の調査のシーンがあって、そのあとおばあさん（ヒロイン）の回想（本編）が始まります。最後はまた、現代に戻ってきます。

つまりこれは、現在という日常から、回想という非日常の旅をして、現在という日常に戻ってきているわけです。観客からすると、回想を終えたおばあさんは冒頭のシーンとは違って見えます。その違いが成長（変化）ということになろうかと思います。この構成を取っている作品は、とても多いです。

これとは逆のパターンもあります。すなわち、非日常から日常に来て去っていくというケースです。「行って戻ってくる」のではなく、「来て去っていく」わけですが、先ほどの図を逆さまにしただけで、同じ構造です。

『鶴の恩返し』（作者不詳）は典型的な例で、鶴がやって来るとそれが非日常の世界になります。鶴が去っていくと日常が戻ってくるわけです。鶴が去ったあと、主人公は喪失感を抱え呆然とするわけですが、それはマイナスの成長だと思ってください。

『ウルトラマン』（円谷英二監修）は、毎話それをやっているわけです。怪獣が現れた非日常の世界に、ウルトラマンがやって来て、やがて去っていくと日常に戻ります。ハヤタ隊員やその仲間に何らかの成長があります。

『ドラえもん』（藤子・Ｆ・不二雄）も大きく捉えれば、そうでしょう。あれはドラえもんが未来からやって来て、やがて去っていく物語です。ドラえもんが来ている間が非日常で、去れば日常です。ダメなのび太くんですが、ドラえもんが去る頃にはきっと成長していることでしょう。

普遍の原理

なぜ物語はこのような構造をしているのでしょうか？

その答えは〝おもしろいから〟です。〝記憶に残りやすい〟と言い換えても良いです。〝入りやすい〟、また〝終わりやすい〟、また〝腑に落ちる〟と言い換えても良いです。

そもそも神話や伝説の類いは、文字のない時代から何百年も何千年もかけて「口伝」で受け継がれてきました。それがこの構造をしているということは、この構造だと記憶に残りやすく、おもしろく物語ることができる、という証左かもしれません。

日常から非日常に行って、また日常に戻ってくる。そして成長（変化）している。

実はこれ、僕らが赤ん坊の頃から繰り返していることですよね。学校や遊び、という非日常に向かい、また家に戻ってくる。それを通じて何らかの成長（変化）がある。学校が会社になっても同じです。旅行に出かけるのも同じです。

もっと言うなら、狩猟・採取の時代から、人類はこれを繰り返しています。狩りという非日常に出かけ、戻ってくる。待っている側からすれば、来て去っていく。六〇〇万年間、人類はこれを繰り返しているのです。

だから、この構造は、物語るうえで有効なのでしょう。始まり方も、終わり方も、腑に落ちる。付け加えるなら、生き物の命題は生存確率の向上ですから、人間は成長というものが本能レベルで好きなんです。

遊びや文化のなかにも、この構造が多く見られます。

「かくれんぼ」の鬼は目を瞑って、決められた数を数えます。目を開けると、そこは友だちが一人もいない非日常です。鬼は隠れた友だちを探し回り、日常を取り戻す。そして鬼でなくなる、という成長を果たす。とても物語的ですね。

世界の成人式には、山に籠(こも)ったり、タトゥーを入れたり、火の上を歩いたりと、日常とかけ離れた通過儀礼の要素が見られます。通過儀礼という非日常を経て、子供が大人に成長する。とても物語的です。昨日までは子供で今日から大人、というのは肉体的にはありえませんから、物語性を、儀式として利用しているということでしょう。

実はエンターテインメントだけではなく、論文や説明文でも、この構造は利用されています。序論、本論、結論、と進む三段構成は、実験や調査の旅に出て戻ってくる、という構造をしています。その旅を経て、結論を得るという成長を果たしている、というところも同じです。

小説のなかから見つけよう

みなさんの好きな小説に、物語の構造がないか、確かめてみてください。

冒険小説や、いわゆる大作では、この構造が際立(きわだ)っています。それ以外にも、多くの優れた小説にこの構造は見られます。物語の構造は、多くの書物や、実際の生活や文化に染みついているため、書き手が意識的・無意識的かは関係なく顕在化してしまうものなのです。

これは、小説全体の話だけには留まりません。誰かに会いに行って何かを得て戻ってくる、とか、夢を見て啓示を得た、とか、小説のなかの一部のトリガーに、物語の構造が使われることも多々あります。

この構造が、見えにくい小説もあるでしょう。行ったけど戻ってこない、小説もあります。ただそれも、非日常も慣れてしまえば日常であるように、そこが日常になってしまった、と考えることができます。

いずれにしても、物語の構造を意識的に使うと、おもしろくて、腑に落ちるものが書けます。

キーワードは、日常と非日常、そして成長、です。

日常と非日常を分かつもの

物語の構造のキーワードの一つ目、日常と非日常についてお話しします。

まず、小説とは非日常を描くものだ、とはっきり定義させてください。いや、○○という小説には日常しか書かれていないですよ、と思われる方もいるかもしれませんが、あまり〝日常〟という言葉に囚われないでください。それは日常に見える非日常を描いているのです。朝起きてご飯を食べて寝る、というのは日常に違いありませんが、昨日までと違う何かがあれば、それは非日常です。

そもそも日常と非日常は、地続きであることが多いです。

だから、主人公が日常から非日常の世界へ渡る、という物語の構造のなかで、この日常から非日常に渡る（切り替わる）瞬間というのは、とても大切です。ここが際立つと、読者の心を捉えることに成功します。

わかりやすい例では、日常と非日常を分かつのが「橋」や「トンネル」だったりします。橋を渡ったり、トンネルを抜けると、そこが非日常の世界、というわけです。『不思議の国のアリス』だったら、穴に落ちるとそこは――、という感じですね。電車や船や飛行機、エレベーターや階段でも良いです。もっとシンプルに、扉を開けると――、とか、メガネをかけたらそこは――、とか、目が覚めたらそこは――、という感じでも良いです。

こういった何らかの装置があると、非日常に切り替わる瞬間が引き立ちます。切り替わった先での、音やにおいや光、といった何らかの〝相違〟も重要です。たとえば扉を開けると、ラッパの音が聞こえた――、とか。

日常で始まって、非日常に踏み込むのに多くのページが費(つい)やされることもありますが、わずか一行のこともあります。有名な小説の冒頭を引用させてください。


国境の長いトンネルを抜けると雪国であった。夜の底が白くなった。信号所に汽車が止まった。

(川端康成(かわばたやすなり)『雪国』新潮文庫)


言うまでもないですが、見事ですね。最初のセンテンスでいきなり非日常の世界に引き込み、次のセンテンスで、夜の底が白くなった、と視覚的な変化(相違)が来ます。

この項で書いたことが、すべてこの冒頭に詰まっていますね。

拙著を見直してみると、デビュー作の『リレキショ』が、最初の二行でいきなり非日常に飛んでいました(書いていた時には、物語の構造のことなんてまるで考えてはいませんでしたが……)。

「いい?」と言って姉さんは、僕の頭に手をのせた。
「大切なのは意志と勇気。それだけでね、大抵のことは上手(うま)くいくのよ」
(中村航『リレキショ』)

トンネルとか橋は出てきません。その代わりに姉さん(本当は他人)が語っています。このように、日常と非日常の境に、門番や案内人のような人がいる、というのも良いやり方です。

「成長」は、読者の心を打つ

そして二つ目のキーワード、成長、についてです。
非日常を旅して、日常に戻ってきた主人公はかつての自分とは違います。つまり成長しているんです。『桃太郎』も『不思議の国のアリス』も、大人への成長を描いています。『ドラゴンボール』（鳥山明）も『スター・ウォーズ』も『ハリー・ポッター』（J・K・ローリング）も成長譚です。「成長」こそが最強のエンターテインメントである、と言い切っても良さそうです。

これもやっぱり、大作であるほど、その傾向が際立っていますね。でも僕らが小説を書く時、いわゆる「成長」を字義通り捉える必要はありません。

旅をする前の自分と、今の自分は違っている。つまり、知識を得た、わからなかったことがわかった、できなかったことができるようになった、葛藤が終わった、弱い自分を乗り越えた、悩みが解決した、と、これらも充分、人間的な成長でしょう。人生のフェーズが変わったり、ステージが一段階上がったりするのも、わかりやすい成長です。

かつては選ばなかったことを選んだ。今までこういうふうに考えていたが、違う見方をするようになった。そんなちょっとした違いでも良いと思います。

関係性の変化も成長の一つです。自分と誰かの関係が、大きく変化している。それは友人関係でも、親子関係でも、もちろん恋人関係でも構いません。

成長という言葉を字義通り捉えるのではなく、変化、と捉えたほうが本質的かもしれません。プラスの変化でなく、マイナスの変化でも良いのです。喪失や絶望で終わる物語、というのも、うまく書けば読者の心を打つでしょう。○○を失ったけど△△を得た、とすれば、バッドエンドにはなりません。

ジンテーゼ

僕らの生きる世界は複雑ですし、小説のなかの世界も同じです。鬼を倒して金銀財宝を得る、といった単純な勧善懲悪の成長物語は、存在意義が薄れているかもしれません。とすれば〝ジンテーゼ〟というものを考えてみると、良いかもしれません。旅を終えた主人公は〝ジンテーゼ〟を手にした、という成長を描くのです。

ジンテーゼとは、命題（テーゼ）と反命題（アンチテーゼ）という相容(あいい)れないものを、一段階高いところから統合したもののことです。

たとえば、〝カレーが食べたい〟というテーゼと、〝カツが食べたい〟というアンチテーゼがあったとします。どちらを食べるかという葛藤の末に、〝カツカレー〟というメニューを思いついた。これがジンテーゼです。

小説内にある葛藤が強いほど、読者は感情移入してくれます。葛藤はカレーなのかカツなのか、というように自分のなかのものでも良いし、他人との主義・主張の争いでも構いません。

テーゼに対するアンチテーゼが強いほど、葛藤が高まります。つまり敵が強ければ強いほど盛り上がるのですが、強くなりすぎてしまった結果、勧善懲悪もののように、テーゼがアンチテーゼを倒せなくなってしまいます。

桃太郎なら鬼を倒せますが、アムロはシャアを倒せませんし、自衛隊はゴジラを完全には倒せません。

そこで、葛藤は解決しなかった（敵は倒せなかった）けど、ジンテーゼを得た、という成長に行き着くわけです。

ぜひ、成長という言葉を広く捉えて、自分の小説に物語性を付加してみましょう。具体的な方法として、次章を参考にしてください。

小説の設計

——タイトル、プロット、キャラクター、ストーリー——

小説を設計するフォーマット

いきなりですが、小説を設計するための、簡単なフォーマットを作りました。

このフォーマットは、小説を書き始める前に、自分で小説の構想を進めるために使います。それだけでなく、編集者や友人等に見せて意見を聞いたり、アイデアを共有したり、と、「小説の企画書」としても使えます。

今から提案するフォーマットに沿って小説を構想すると、書こうとしているものの全体像や、狙いが摑(つか)めます。このフォーマットに沿わせるだけで、さまざまなノウハウを簡単にクリアできるようにしました。

ただ、もしかしたらみなさんは、先のことなど考えず、ともかく一行目から小説を書いていくというタイプかもしれませんね。それも小説の書き方として、全然、間違いではありません。そういう方は書きながら、同時に小説を（その先を）設計しているんだと思います。そのようにして書いた小説は、僕にもいくつかあります。

そういう方は、書いている途中とか、書き終わってからでも構いません。一度やってみると、推敲すべき点などが整理できます。読者の視点、というものも獲得しやすくなるはずです。

前置きが長くなりましたが、以下が小説を設計するフォーマットです。①〜⑤を埋めていけば良い、ということになります。

①タイトル案

※仮なら（仮）とする。タイトル案として、いくつか並べても良い。

②時代、場所、テーマ、小説のウリ

※小説の概要や狙いを箇条書きする。狙いとしては、他の小説との違いは何か？を書く。

③メインプロット

※「○○だった◇◇が、〜〜〜して（または、〜〜〜を経て、〜〜〜と出会って等）、△△になる」に沿って書く。

④キャラクターとサブプロット
※主要キャラクター（三名）の名前、性別、年齢、特徴など。そのキャラクターに言わせたい台詞（思わせたいこと、でも良い）を書く。それぞれのサブプロットもあれば書く。

⑤ストーリー
※全体を、起・承・転・結の四つに分けて、それぞれ数行流れを書く。
※起・承・転の最後に山場を入れること。

①〜⑤の書き方について、くわしく説明していきます。

大切なのは、「短く」と「ぐるぐる」

最初に大切なことを述べます。

まずは、短く書く、ということです。〝おもしろさ〟を設計するには、①～⑤を短く、簡潔に仕上げるのがコツなのです。

これは、なかなか理解してもらえないことなのですが、長く書けば書くほど、〝おもしろさ〟がぼやけていきます。長く書いていると、枝葉に気を取られて、芯の部分がおろそかになるからです。

まずは芯になるところを設計するんだ、という意識を持ってください。実際に小説に書く時には、どれだけでも膨らませていけば良い。今から作るものは、書きながら、時々この設計書に立ち返って確認する、という種類のものです。

A4の紙一枚に収まるような文字量で良いです。二枚くらいならOKですが、三枚までいくのは厳禁と思ってください。

そしてもう一つは、ぐるぐる書く、です。

①→②→③と書き進めるのは、僕らの当然の習性ですが、イメージしづらいところは、どんどん飛ばしてください。途中まで書いて次、ということも、どんどんしてOKです。

そうして、書けることだけ書いたら、また①に戻ってください。
つまり、①〜⑤をぐるぐる回るようにして、全体を埋めていくのです。
①と②を順にしっかり書いて、次に③、というやり方をしていると、①と②で書いたことに③が縛られてしまい、自由な発想が阻害されます。
①〜⑤は有機的に繋がっています。⑤で書いたことが②に繋がる、といったことが起こりますから、得意なところ、また、イメージしやすいところから埋めていくのが大切です。
短く、と、ぐるぐる、を意識して、①〜⑤を埋めていきましょう。今から①〜⑤をそれぞれ順に、じっくり説明していきます。

タイトルは頑張ってつけるもの

まず①タイトル案ですが、今は悩むことなく、仮タイトルを書いてください。例として本書のタイトルを、悩むことなく挙げてみました。

①タイトル案

『小説の書き方』『小説を書こう！』『小説解体新書』『サルには書けない小説』

タイトルというものはとても重要です。タイトルはインデックス（他の作品との区別）のためにあるのではなく、作品の看板であり、入口であり、つまり読者に発見されるためにあるものです。読者が思わず手に取りたくなるようなタイトルを、つけなければなりません。

タイトルをつけるのが苦手、という話はよく聞きますが、こればかりはアウトプットする訓練をするしかありません。構想の段階でタイトル案を考えるのもそうですが、小説を書いている間や、書き終わってからも、思いついたらすぐメモを取るようにしてください。

最後の最後に、それらから選べば良いのです。

タイトルが決まったら、そのタイトルが馴染(なじ)むように本文を書き直す、ということもあるかもしれません。ストーリーの布石や伏線になるような良いタイトルが思い浮かんだら、その回収のために本文を加筆することもあって当然です。良いタイトルには、それくらいする価値があります。

考えないと思いつくことはないので、一日一分でもタイトルを考える時間を取ると良いかもしれません。一作品、三〇でも四〇でもタイトル案を出す、ということを繰り返していると、タイトルを考えるのが苦でなくなります。しかし大前提としては、良いタイトルを考えるには、頑張るしかありません。

タイトル案を選ぶことをするうちに、自分の作風に合ったタイトルのつけ方が見えてくると思います。タイトルにも文体というものがあり、作家の個性が出ます。

絵でも写真でも映画でも漫画でも演劇でもコントでも、すべての創作物にタイトルはあります。いろんなタイトルに触れ、自分はどんなタイトルが好きなのか？　どんなタイトルが読者に響くのか？　それを考えてみてください。そして自分の大切な作品のタイトルを、頑張って考えましょう。

ただ、今の段階ではもちろん、思いついたもののメモで構いません。

概要の設定は、抽象に逃げない

続いて②時代、場所、テーマ、小説のウリ、すなわち概要です。以下、拙著『トリガール！』を例に書いていきます。

②時代、場所、テーマ、小説のウリ
・時代は現代、メインの舞台は工業大学のキャンパスと、琵琶湖。
・人力飛行機の制作に青春をかける者たちの異常な情熱。
・実は毒舌な理系女子と、野性的な男子が、コンビで空を飛ぶ。

ここは何をどんなふうに書いても良いのですが、この小説が他の小説と何が違うのかを書く欄だということは忘れないでください。右の例ならば、工業大学、琵琶湖、人力飛行機、実は毒舌な理系女子、あたりが小説のウリになっています。

時代や場所に特徴や新規性を見いだしているのならば、そこを中心に書くべきです。SF的な空想の舞台であるなら、その状況や設定やルールが重要になります。書きたい思想やテーマが新しいものなら、それを書いてください。全体的な小説の雰囲気や空気感を大事にしたいなら、それを具体的に書いてください。

ここで書いたことは、小説全体の世界観に繋がります。レトリックを駆使してこの欄を良い感じにまとめるのは、気持ちが良いと思いますが、それは案外、無意味です。箇条書きにすることで、抽象に逃げることなく、具象化していくのが大事です。

メインプロットは数行で

③メインプロットは「○○だった◇◇が、〜〜〜して（または、〜〜〜を経て、〜〜〜と出会って等）、△△になる」に沿って書いてください。以下、『トリガール！』の例です。

③メインプロット

何ごとにも真剣になれなかった主人公が、人力飛行機を作るサークルに入り、自分の意志と努力で琵琶湖を飛ぶ。

このようにシンプルに書いてください。

お気づきの方もいるかもしれませんが、第三章でお話しした〝物語の構造〟が、ここに反映されています。「○○だった◇◇が、〜〜〜して、△△になる」に沿って書くことで、書こうとしている小説は〝物語の構造〟を獲得します。

メインプロットという言葉にも覚えがあるでしょう。第二章では、メインプロット（主あらすじ）が未来に向かうか、それとも過去に向かうかによって、サブプロット（副あらすじ）を考えよう、とお話ししました。

『トリガール！』の例だと、プロットは未来に向かっていますね。なので、過去に向かうサブプロットを作り、この二つがぶつかるところがクライマックス、と考えれば良いわけです。

どうでしょうか？　第二章と第三章でお話ししたことを、ここで「○○だった◇◇が、〜〜〜して、△△になる」を埋めることで、クリアするわけです。

ちなみに、③メインプロットは、ログラインと呼ばれることも多いです。サブプロットと対（つい）で考えるために、本書ではメインプロットと呼んでいます。

キャラクターは台詞から考える

次に、④キャラクターに進みます。

キャラクターを考える時は、そのキャラクターの履歴書を作ってみよう、などとよく言われますが、そんな七面倒（しちめんどう）なことはしなくて良いです。大切なのは、そのキャラクターの生年月日や特技ではなく、そのキャラターが物語のなかで果たす役割です。その役割に沿って、そのキャラクターの性格を含むプロフィールができてくるわけです。

ここでは端的に、そのキャラクターに言わせたい「台詞」を考えてください。その台詞の内容や言い方から、性格なども想像できます。その台詞を言わせるために、メインプロットや、サブプロットが生まれたりします。またその台詞を受けるキャラクターの性格も、おのずと見えてくるでしょう。

最初に人間をがちがちに考えてしまうと、発想の飛躍が生まれません。

キャラクターにとって大事なのは、その小説のなかで何をしたり何を言ったりするか、そしてどんな役割を果たすか、です。具体的な「台詞」を考えることで、それを明確にしていきましょう。

そうなれば、その台詞は、小説のなかで一際輝くフレーズになるでしょう。なお、台詞ではなくて「心の叫び」、つまり、思ったことでも良いです。

以下に『トリガール！』の例を示します。これは書く前に考えていたことなので、実際の小説とは多少、乖離しています。

④キャラクター
・主人公・鳥山ゆきな（19→20歳、女性）お酒を飲むと口が悪くなる。
「私の今まで全部が、このフライトのためにあったんだ」

「飛ばない先輩は、ただのブタ野郎ですよ」
・副主人公・坂場大志（22歳、男性）自堕落。大柄。
「それは女には無理だ」

「おれが漕ぐ。お前はおれについてこい」

〈サブプロット〉坂場はかつて、ハートの弱さのため、飛行機を墜落させてしまった。それ以降、自堕落な生活を送っていたが、やがてその過去を乗り越える。

・主人公の先輩・高橋圭（20歳、男性）爽やか。小柄。
「先輩、おれの代わりに飛んでください」

〈サブプロット〉主人公をサークルに誘った圭は、志半ばで怪我をしてしまい落ち込むが、サポート役に徹することを決意する。

・主人公の友人・大久保和美（19歳、女性）好奇心旺盛。プロペラが好き。
「ゆきな、わたしたちの作った機体を見て」

・伝説のＯＢ（26歳くらい、男性）神出鬼没。
「琵琶湖には魔物が棲(す)んでいるんだ」

三人のキャラクターを考えよう、と書きましたが、何人か増やすぶんには構いません。サブプロットも、いくつ考えても良いです。『トリガール！』の場合、クライマックスでメインプロットと交差するのは、坂場のサブプロットにしました。

ストーリーの作り方

最後に、⑤ストーリーについてです。

ストーリーこそが小説のキモである、という発想の方は多いと思います。それはそれで正しくもあるのですが、実は新規性や作家性というものが滲(にじ)み出てくるのは、ストーリーではなく、キャラクターや、世界観や、タイトル、あとは文体です。

つまり、ストーリーで新規性や作家性を出そうとする必要はあまりないのです。ここまで説明した①〜④については、ウリを作れないか、とか、オリジナリティを出せないか、という視点が必要です。でも⑤ストーリーについては、ひな型に沿って、シンプルに考えましょう。

ストーリーは二種類、と思ってください。〝王道〟と〝アンチ王道〟です。ここで扱うのはストーリーの〝王道〟になります。〝アンチ王道〟は王道を崩したものなので、王道を知ることで、より的確な崩し方ができるようになるでしょう。

ストーリーの作り方の王道、となると、起承転結が有名ですね。あとはハリウッド脚本術、と呼ばれるものも、書き手のなかではよく知られています。これは三幕構成を基本にしたものですが、二幕目をミッドポイントとなる真ん中で切れば、四パートとなって起承転結と同じと考えて良いと思います。

今、ミッドポイントと書きましたが、ハリウッド脚本術では他にファーストポイントと、セカンドポイントを作ります。しかしながら、その説明は省きます。以下の方法に従えば、これらは自然と出来上がりますので、難しく考える必要はまるでないからです。

・全体を四つのパート（起承転結）に分けて、端的にあらすじを書く。
・前半三パートの最後のセンテンスに、「驚き」や「変化」を盛り込む。↓最後のセンテンスの書き出しを「しかしながら〜」「驚いたことに〜」「絶望的なことに〜」「ある時突然」等にすると簡単にできる。または、センテンスの最後を「！」や「!?」や

「？？？」で締める。

これらは、次章で具体的に説明します。

『トリガール！』を起承転結で分けると……

⑤ストーリーの実例を、拙著『トリガール！』で見てみましょう。

⑤ストーリー

【起】

ゆきなは一浪の末、工学系の大学に入学したが、何にも興味を持てずにいた。親友の和美に誘われて鳥人間サークルに入部し、圭先輩にパイロットになろうと誘われる。ところが驚いたことに、いきなり坂場に「お前には絶対に無理だ」と言われてしまった？？？

【承】

憤慨したゆきなはトレーニングに打ち込んだが、圭と坂場にはついていけなかった。サークルを辞めようと思ったが、二人乗り人力飛行機を制作する和美たちの情熱的な姿に感化され、もうすこし続けようと思う。ところが絶望的なことに、圭が大怪我をしてしまった！


【転】

サークルからパイロットを一任された坂場は、泣き言ばかりを繰り返すが、ゆきなが一喝する。一念発起した坂場とゆきなはトレーニングを進めるが、成果はなかなか上がらない。しかしながら圭の助けも借りて、二人はついに出力の目標を超えることができた！


【結】

サークルは琵琶湖に移動し、機体は空に飛び立つ。横風を受けた機体が落ちそうになるが、坂場はついに過去を乗り越え、機体は再浮上する。坂場はゆきなに告白するが、ゆきなはそれを断る。二人乗り人力飛行機は、過去の記録を超え、ビッグフライトを果たした。

起承転のブロックの最後のセンテンスに注目してください。「驚いたことに」「絶望的なことに」等で始まって「？・？・？」「！」で終わるような文章になっています。「……。」でも良いでしょう。このようにすると、起と承と転のブロックの最後に山場ができます。ハリウッド脚本術で言う、ファーストポイントと、ミッドポイントと、セカンドポイントが自然にできるわけです。

これによって、山場が全体のうちに三箇所できました。どんなピークに向かって、話を組み立てていけば良いのか、わかりやすくなりましたね。

ここでは四つに分けましたが、一〇万字を超えるような小説なら、起承転転結と五ブロックに分けても良いですし、起承転転転結と六ブロックでも良いでしょう。ともかく、結以外のブロックの最後のセンテンスを、「驚いたことに〜」等にするのがポイントです。

最後の結がクライマックスになるので、メインプロットとサブプロットの交点は、ここに持ってくれば良いということになります。例で言うと、「坂場はついに過去を乗り越え、機体は再浮上する」のところです。

『デビクロくんの恋と魔法』で総復習

復習を兼ねて、拙著『デビクロくんの恋と魔法』の①～⑤をごらんください(完成版の小説とはすこし違うところがあります)。

①タイトル案
『デビクロ!』『デビクロくんのメリークリスマス』『デビクロくんの恋と魔法』

②時代、場所、テーマ、小説のウリ
・現代、メインの舞台は東京下町(家、鉄工所)。
・主人公がボムする(配る)デビクロ通信という名の壁新聞のようなものが、奇跡を連鎖させる。

・ヒロインが鉄工所に勤める溶接女子。

③メインプロット

社会とうまく折り合いのつかない主人公とヒロインが、主人公の恋を成就させようと奮闘し、それはうまくいかないが二人は結ばれる。

④キャラクター

・山本光（28歳、男性）真面目で優しい。深夜にデビクロ通信をボムする二面性。

「今夜、僕はクリスマスの王になる！」

「さよなら、デビルクロース！」

〈サブプロット〉光が描いていたデビクロ通信は、未来を予言していることがあった。デビクロ通信1号は杏奈との約束を描いていたが、光はその記憶を取り戻す。

・杏奈（25歳、女性）溶接女子、主人公のことが好き。
「か、顔が近すぎるから！　殺す気か！」
「好きな人の恋を応援するなんて、そんなつらいこと光にさせたくない」

・ソヨン（27歳、女性）韓国人、空間デザイナー。主人公が憧れる。
「光は昨日、わたしをお持ち帰りしました」

⑤ストーリー

【起】

祖父の遺した一軒家に引っ越してきた光は、書店に勤めながら、杏奈以外には読ませるあてのない絵本を作っている。深夜、ヒップホップに浸(ひた)りながら、デビクロ通信をボムすることで精神のバランスを保っている。ある時突然、ソヨンと出会って電撃的に恋に落ちてしまった！

【承】

恋を成就させようとする光は、杏奈の協力を得て、ソヨンに近づく。デートの練習をする光と杏奈。しかしながら光は、ソヨンには好きな人がいることに気づいてしまう……。

【転】

絵本を出版する夢も絶たれた光は、ソヨンの恋を応援しようとする。そんな光を杏奈は許せなかった。ずっと味方だった杏奈を、光は絶望的なことに失ってしまう……。

【結】

クリスマスの夜、デビクロくんの最後の戦いが始まった。デビクロ通信が、さまざまな奇跡を起こしていく。デビクロくんとの別れのなかで、光はかつての記憶を取り戻し、杏奈のもとへと走り出す。

ここだけは押さえる文章術

良い文章とは？

ここまで読んでくれたあなた、おつかれさまです。

これで、小説として「何」を書くかを考え終わり、これから書くものを構想するところまで終わったわけです。あとは書くだけ、です。ここまでは小説のＷｈａｔを考えてきたわけですが、ここからは主にＨｏｗを考えていきます。

まずは文章についての話になりますが、「ここだけは押さえる文章術」と銘打ちました。文章術……。つまるところ「良い文章」を書くための文章術を、僕らは身につけたいわけですが、そもそも「良い文章」ってどんな文章なのでしょうか？

名文、美文、悪文などという言葉がありますが、ここでは「良い文章」＝「わかりやすい文章」と定義させてください。

文章は他人に何かを伝えるための手段ですから、まずは「わかりやすい」が第一義です。また「わかりやすい文章」には、言わば機能美のようなものが備わっているはずです。格好良い文章や、おもしろい文体、といったものが、その先にあるかもしれませんが、まずは「わかりやすい文章」です。

文章というものの奥は深くて、僕自身も、極めたと思ったことなど一度もないです。小説を書く時、作者は常に、次は「何」を「どう」書くかを考えています。ただ一つの冴え（さ）たやり方、というものはなく、最善を求めて考え続ける作業を、僕もみなさんも、繰り返していくしかありません。

でも「わかりやすい文章」の書き方について、教えられることはあります。「わかりやすい文章」を書くための文章術は、わかりやすくなければなりません。覚えられなかったり、応用できない文章術など、何の意味もありません。これさえ気をつければ各段に文章がうまくなるぞ、という「術」を、次項から書いていきます。

「術」は、二つの話に分かれます。前半は段落（パラグラフ）の話です。そして後半は文章（センテンス）の話になります。

では、まず段落（パラグラフ）の話から始めていきましょう。

段落を制する者は小説を制する

僕らはまずある一文（センテンス）を書きます。〜〜。〜〜。〜〜。と文章が連（つら）なって一つの段落（パラグラフ）になります。その段落が連なって章になり（章がないこともありますが）、その章が集まって小説になります。

つまり「段落」は、小説の「構造」の最小単位なのです。この構造の連なりが小説ですから、段落を制する者は小説を制する、というのも大げさな話ではありません。

といっても、「段落」を作る、というのは、作業としては改行をしているだけです。なので、まず考えてみてほしいのですが、僕らは小説を書く時、なぜ、改行をするのでしょうか？

学校の国語の授業では、「考えや話題が変わる時」や、「時、所、人物、事件が変化する時」や、「論点、視点、立場、段階が変化する時」に改行しなさい、などと習ったかもしれませんね。

これを本質的に言い換えると、「話題が変化したことを、改行によって読み手に伝える」ということです。

読み手は「あ、改行した」「今、話題が変わった」などとは感じません。でも、改行によって話題が切り替わったことを、無意識に感じています。その無意識が、話の流れの理解を深めることに繋がっているのです。

似たものとしては、映画やテレビ番組のカメラアングルの切り替えがあります。

ドラマのなかで、歩いている人が上を見上げると、見ている先にぱっとカメラが切り替わります。野球中継では、ピッチャーが投げたあと、打球の行方を追いかける別のカメラに切り替わります。カメラが切り替わらなかったら、とても見づらく、わかりづらい映像になるでしょう。

改行もこれと一緒です。段落構成はとても重要な〝表現〟なのです。書きながら何となく改行するのではなく、常に段落構成を意識すべきです。

では、どのように意識すれば良いのでしょうか？

一番簡単な段落の作り方

野球のバッティングでも、剣道でも、〝型〟というものは重要です。段落構成も、まずは〝型〟を身につけましょう。

その〝型〟はとても簡単で、要は、トピックセンテンスを段落の一番最初に書く、だけです。トピックセンテンスとは、その段落のトピック（主な話題）を書いたセンテンス（文章）のことです。

以下、トピックセンテンスを段落の冒頭に置いた文章を、読んでみてください。

〈例文①〉

十代の頃、モテるための努力を惜しまなかった。雑誌を参考にして誰かのマネをしたり、ギターを買ったり、話芸を磨いたり、前髪を伸ばしたりした。手品の練習をしてみることさえあった。

だが努力ではモテるようにならなかった。決して努力を怠ったわけではない。僕はモテるために全身全霊をかけて手品を練習したのだが、結果、手品が上手になっただけだった。

結局のところ、動機が不純な努力は、どこにも辿り着かないのだ。音楽が大好きでギターを弾き始め、最終的にモテるようになった人間はいる。だけどモテたくてギターを買うのは、そもそもチューニングが狂っているのだ。

この傍線を引いた文章が、トピックセンテンスになります。
例文①の場合は、トピックセンテンス＝結論、つまり結論を先に書いています。結論を書いて、その補足説明をしていくことで段落が成り立っているわけです。次のような感じですね。

第一段落
第一文（トピックセンテンス）→第二文（補足）→第三文（補足）
第二段落
第一文（トピックセンテンス）→第二文（補足）→第三文（補足）
第三段落
第一文（トピックセンテンス）→第二文（補足）→最後の文章（第一文の言い換え）

このように段落を構成すると、文章はわかりやすく、つまり読み手に優しくなるのです。要は、段落の冒頭で重要なことを書き、残りの文章は補足や肉づけをする。簡単ですね。

トピックセンテンス↓補足↓補足↓補足、という形を、〝型〟として、しっかり意識してください。それだけで、文章は各段に読みやすくなります。

ちなみに、例文①のトピックセンテンスだけを拾ってみると、こんな感じになります。

十代の頃、モテるための努力を惜しまなかった。↓だが努力ではモテるようにならなかった。↓結局のところ、動機が不純な努力は、どこにも辿り着かないのだ。

どうでしょうか？　トピックセンテンスだけ読めば、全体の論旨がわかりますよね。つまりこれは、論理が、きれいに流れていることの証左です。この型を意識して書くことで、書き手にとっては論理構築しやすくなります。結果、読み手にも優しい文章になります。

何か難しいことを説明しなければならない時、次に何を書けば良いか迷った時、などは特に、この〝型〟を思い出してください。

「説明・プレゼン型」と「説得・共感・感動型」

先ほどの、トピックセンテンス→補足→補足→補足、という段落構成の型を、「説明・プレゼン型」と名づけさせてください。

難しいことや、理解してほしいことを説明したりする（プレゼンする）時に、この型はとても有効です。つまり書き手と読み手の間に、共通理解が少ない場合、この型を意識すると良い、ということになります。

では、書き手と読み手の間に、共通理解が多い場合は、どうすれば良いのでしょうか。読み手が充分に書き手の言いたいことを理解しているのに、あまりにわかりやすく説明してしまうと、ちょっと物足りない読み味になってしまいます。

それを防ぐための方法が以下です。例文①を書き直してみました。

〈例文②〉

十代の頃、僕は時に話芸を磨き、時に前髪を伸ばした。ある時は思い立ってギターを買い、またある時は手品の練習をした。あの頃、モテるための努力を惜しまなかった。

前髪を伸ばしたら、おでこが隠れた。ギターを練習したら、すこしだけ弾けるようになったし、手品を練習したら、手品がすこしだけ上手になった。だけどそういう努力をしても、それだけでモテるようにはならなかった。

音楽が大好きでギターを弾き始め、最終的にモテるようになった人間はいる。だけどモテたくてギターを買うのは、そもそもチューニングが狂っていると思う。結局のところ、動機が不純な努力は、どこにも辿り着かないのだ。

こちらは段落の〝最後〟に結論（トピックセンテンス）を書いています。発端や原因が最初にあって、最後に結論がある、という流れですね。

同じことを書いているのに、こちらの文章のほうが〝読み応え〟を感じませんか？　例文①は理解を促すのには向いていますが、深い納得や共感といったところまで求めるなら、例文②のほうが向いているのです。

例文①を「説明・プレゼン型」としたので、こちらは「説得・共感・感動型」とさせてください。作者と読み手の間に、共通理解が多い時には、この書き方をすると良いでしょう。

段落の冒頭に書くこと

大切なことが一つあります。それは「説得・共感・感動型」であっても、段落の冒頭はおろそかにしてはいけない、ということです。例文②の冒頭を見てみましょう。

十代の頃、僕は時に話芸を磨き、時に前髪を伸ばした。
前髪を伸ばしたら、おでこが隠れた。
音楽が大好きでギターを弾き始め、最終的にモテるようになった人間はいる。

これらは、それぞれの段落における趣旨ではなく、重要なことを言っているのでもありません。しかしここは、その段落の内容への導入として、相応(ふさわ)しい文章にしなければなりません。たとえば、問いかけであったり、意外な事実であったり、仮定であったりすると良いですね。

読者は、段落の最後のほうになると、視覚的にもうすぐその段落が終わりであることを感じています。そして実際に改行があって、一文字空け(あ)で始まる、次の段落の冒頭の文章を読むわけです。そこを読む時には「何か大事なことが書いてあるぞ」という信号が、無意識下で働いています。

それを利用するのが、「段落を制する」ということです。読者は段落の冒頭を特別な意識で読んでくれるわけですから、作者側はそれを利用しない手はありません。

段落の冒頭は、トピックセンテンスを書くか、気になる導入を書くか、どちらかだと思ってください。それによって、「どうして?」「どうなる?」と思わせるわけです。

段落構成＝おもしろさ

ここまでの説明で、もしかしたらピンと来た方がいるかもしれません。実はこの段落構成の話は、第二章の、小説の〝おもしろさ〟についての話と同じなのです。

第二章でお話ししたのは、小説の〝おもしろさ〟、つまり読者のページをめくる原動力は、以下の三つ、ということでした。

①未来（結果・結論）が気になる
②過去（理由・原因）が気になる
③現在起きていることが気になる

「説明・プレゼン型」は、最初に結論を書いて「どうして？」と思わせるわけですから、②過去（理由・原因）が気になる、を利用した段落構成法です。

「説得・共感・感動型」は、導入を書いて「どうなる？」と思わせて、最後に結果や結論を書くわけですから、①未来（結果・結論）が気になる、を利用した段落構成法ですね。

段落というのは小説を形成する一番小さな構造ですから、ここで演出する〝おもしろさ〟は、③現在起きていることが気になる、に含めて良いかもしれません。つまり①と②を利用して③を創る、ということです。

現在起きていることが気になれば、読者は読むのをやめられません。やはり、段落を制する者は小説を制するのです。

繰り返しになりますが、段落の冒頭は、トピックセンテンスを書くか、気になる導入を書くか、どちらかです。それによって段落を制すれば、あなたの小説は、読者を好きな場所に連れていくことができるでしょう。

「サンドイッチ型」

「説明・プレゼン型」の例文①の最後の段落を、もう一度見てみましょう。

結局のところ、動機が不純な努力は、どこにも辿り着かないのだ。音楽が大好きでギターを弾き始め、最終的にモテるようになった人間はいる。だけどモテたくてギターを買うのは、そもそもチューニングが狂っているのだ。

この段落は、トピックセンテンス→補足→トピックセンテンスの言い換え、という構成をしています。なぜこんな構成になっているかというと、この段落が文章全体の最後の段落だからです。

トピックセンテンスを最初と最後に書く。この構成は「サンドイッチ型」と名づけましょう。

まずは段落の冒頭で結論を言い、最後にもう一度結論を繰り返すことで、結論を確実に読み手に認識させるわけですが、たとえば文章が長い段落などでは効果的です。冒頭の印象が最後のほうでは薄れているので、もう一回、言い回しを変えて訴えるわけです。

モテるためにする努力は無駄に終わることが多い。僕は十代の頃、モテるためにギターを買い、話芸を磨き、前髪を伸ばしたり、手品の練習をしたりした。努力は充分にした。だけどその努力によってモテるようになったことはなくて、ただ前髪が伸び、ただ手品が上手くなっただけだった。結局のところ、動機が不純な努力というものは、どこにも辿り着かないのだ。

こんな感じですね。

もう一つ、トピックセンテンスが一つもない、逆に言えばすべてがトピックセンテンス、という段落構成もあります。名づけるなら「トピック並列型」でしょうか。

事実を羅列する文章、たとえば、「試験管AにBを入れCと成す。あとにDを加えるとEになる。ただしFの場合はGを加える」「右には障子がある。左には山の絵がある。正面には広い庭が見える」などの文章では、どの部分が結論とか、どの部分が重要、といったことはありませんね。

このような時は、しかるべき順にセンテンスを並べていってください。

短いセンテンスを使おう

ここまでが「ここだけは押さえる文章術」の前半、段落（パラグラフ）についての話です。後半は、文章（センテンス）の話になります。

わかりやすい文章を書くことは、実はそれほど難しいことではありません。短いセンテンスを使えば、自然にわかりやすくなります。

吾輩（わがはい）は猫である。名前はまだ無い。
どこで生れたか頓（とん）と見当がつかぬ。何でも薄暗いじめじめした所でニャーニャー泣いていた事だけは記憶している。
（夏目漱石『吾輩は猫である』新潮文庫）

夏目漱石『吾輩は猫である』の有名な冒頭ですが、文章が短いですね。こういう短いセンテンスの連なりでは、文法の間違いや係り受けの混乱が生じません。一文、一文、内容が頭に入り、読み手に負担がかかりません。これを、

名前のまだ無い吾輩は、どこで生まれたかとんと見当がつかぬが、何でも薄暗いじめじめした所でニャーニャー泣いていた事だけは記憶している猫である。

などとすると、わかりにくくなるのは明らかですね。もうすこしわかりやすく書き直してみます。

吾輩は猫であるが、名前はまだ無く、どこで生まれたのかもとんと見当がつかぬのだが、何だか薄暗い所でニャーニャー鳴いていた事だけは記憶している。

今度は係り受けがなくなったぶん、だいぶ読みやすくなりました。ただ「名前はまだ無く」のところの印象が薄くなってしまったのがわかると思います。

物足りなくなったら

文章を読んでいる時、読者は結論を知りたがっています。会話や討論をしている時もそうです。みんなは結論を待っているのです。

英語の文章では、主語があって、その後すぐ動詞（つまり結論）が出てきます。でも日本語の場合、結論は最後の最後に出てきます。

吾輩はまだ名前のない猫である。

という文章の、「吾輩は」という主語に対する述語（結論）は、「猫である」です。その結論は、文章の最後まで読まないとわからないことで、もしかしたら、猫ではない、のかもしれないし、サルである、のかもしれません。

最後まで読まないと文章の結論がわからない、という日本語の特徴を踏まえると、早く結論を示すという目的に対しては、文章を短くするしか方法はないのです。

では何でも短くすれば良いのか、というとそれも違います。以下のような文章はどうでしょう。

吾輩は猫である。名前はまだ無い。生まれは知らぬ。薄暗い所だった。ニャーニャー泣いていた。記憶はそれだけだ。

これだと、わかりやすいにはわかりやすいのですが、読み応えがなく、物足りないですよね。読み手の思考や記憶のスピードに馴染ませるには、短い文章ばかりというわけにはいかないのです。

なので僕らとしては、まずはわかりやすくするために、センテンスを短くすることを考え、物足りない場合には、長くすることを考える、のが良いと思います。

わかりやすさを左右するのは、語順

センテンスを短くすればわかりやすくなる、というのは、紛う方ない真実です。しかし僕らは、長い文章も書かなければなりません。では長い文章をわかりやすくするには、どうすれば良いのでしょうか？

結局のところその答えは、語順、に落ち着きます。語順というものを、みなさんはあまり意識したことはないかもしれませんが、少なくとも、日本語を操る僕らには、語順の自由が与えられている、ということをしっかり意識すべきです。

私は昨日、このクラスで手紙を書いた。

これを英訳しなさい、という問題が出たら、答えは一つで、「I wrote a letter in this class yesterday.」になります（倒置法とか強調構文だとかは除いて）。

英語には文型というものがあるからそうなるのですが、では逆に、「I wrote a letter in this class yesterday.」を日本語訳しなさい、という問題だったらどうでしょうか？

昨日、私はこのクラスで手紙を書いた。
私は昨日、このクラスで手紙を書いた。
このクラスで、私は昨日手紙を書いた。

どの答えでも正解ですよね。ちょっと耳慣れないかもしれませんが、

手紙を、このクラスで昨日私は書いた。

これも、文法的には間違いではないです。意味もちゃんと通じます。

日本語においては、語順のルールはただ一つで、〝最後に述語を書く〟ということだけです。例文の場合、「書いた」の位置だけが決まっていて、「私は」「昨日」「このクラスで」「手紙を」の四つの語の順序は自由なのです。

強調したいものを先に書く

〝最後に述語を書く〟というのがただ一つのルール、ということは、「I wrote a letter in this class yesterday.」は、日本語にすると何通りに書けるのでしょうか?

四つの語の順序が自由ということですから、四の階乗(4×3×2×1)で二四通りなります。考えてみれば、これはちょっとすごいことですね。

このような〝語順が自由〟という特徴を、僕らは積極的に利用すべきです。僕らは語順によって、物事をわかりやすく表現することができるのです。

語順を制するものは文章を制する、と、言えるかもしれません。しかし選択肢が豊富なぶん、制するのは難しいでしょう。僕も毎日、迷ってます。

ですが、こうしたほうが良い、という明確な考え方はあります。二四ある選択肢が、それによって二に減る、といった方針です。リズムが良いからこの語順にしたとか、語感が良いからそうしたとか、そういう選び方も、もちろん大切です。ただ、そういった感性による選び方については、本書では説明を省きます。

まず、方針の一つ目は、〝強調したいものを先に書く〟です。前後の文章を付け足して、先ほどの例文を書き直してみましょう。

先日クラス替えがあって、私は二組に所属することになった。このクラスで、私は昨日手紙を書いた。

手紙を、このクラスで昨日私は書いた。なぜ電話ではなく手紙なのか、話せば長い話になる。

前者は「このクラスで」を強調しており、後者は「手紙を」を強調しています。読み手に印象を残すためには、先に書くのが有効、ということがわかると思います。特に強調したい単語がある場合、先に書いたうえで読点（、）を打つと、より強調されます。

長いものから先に書く

もう一つの方針が、〝長いものから先に書く〟です。

生まれてはじめて訪れたカラオケボックスで、言葉を吐いた。
言葉を、生まれてはじめて訪れたカラオケボックスで吐いた。

という二つの文章があったなら、前者のほうが良い文章、というのは直感的にわかると思います。

これが、長いものから先に書くと良い、という証左です。「生まれてはじめて訪れたカラオケボックスで」と「言葉を」では、前者のほうが長いので、長いものから先に書いたほうが良い（わかりやすい）という理屈です。

主語は一番先に書くと収まりが良いものですが、

生まれてはじめて訪れたカラオケボックスで、彼は歌った。
彼は、生まれてはじめて訪れたカラオケボックスで歌った。

この二つを比べてみても、前者と後者では五分な感じがします。前者のほうが好き、という方も多いと思います。別の例も出してみます。

見る者に鮮烈な印象を残す、赤い花
赤い、見る者に鮮烈な印象を残す花

これなら前者のほうが、わかりやすいとはっきり言えます。「見る者に鮮烈な印象を残す」と「赤い」だったら「見る者に鮮烈な印象を残す」のほうが長いから、そちらを先に配置するとわかりやすくなる、ということです。

でもこれって、なぜなんでしょうか？

わかりにくさを数値化

長いものから並べるとわかりやすくなる。

これがなぜかと言えば、結局のところ日本語の文章は、「結論」や「述語」や「係り受けの受け側」がうしろにあるからです。ここではわかりやすく、最後に「答え」があると言い換えます。

先ほどの例だと、「見る者に鮮烈な印象を残すのは何か?」という問いの答えは「花」です。「赤いのは何か?」の答えも「花」ですね。「生まれてはじめて訪れたカラオケボックスで何をした?」の答えは「歌った」ですし、「彼は何をした?」の答えも「歌った」です。

読み手はいつも答えを欲しながら読んでいます。答えがわからない状態が続くのは、ストレスです。答えがわからない状態が極端に長く続くと、問い自体を忘れてしまったりします。

だからわかりやすくするには、問いと答えを近づければ良いということになります。短いセンテンスを書く、というのと似ていますね。結局、問いと答えを近くするために、長い順に並べる、という方法論に行き着くわけです。

赤い、見る者に鮮烈な印象を残す花

この文のわかりにくさを紐解いてみましょう。「赤いのは何か?」の答えが出てくるのは、「見る者に鮮烈な印象を残す」の一二文字を飛び越えた先です。その距離こそが、わかりにくさなので、わかりにくさを数値化して12とします。「見る者に鮮烈な印象を残すのは何か?」の答えはすぐ次に出てくるので、わかりにくさは0です。よって、この文章のわかりにくさは、12＋0＝12ということになります。

見る者に鮮烈な印象を残す、赤い花

同様に、この文のわかりにくさを計算してみると、2＋0＝2ということになります。わかりにくさが12と2だったら、2の文章のほうが良いに決まってます。

主格を統一しよう

センテンスの作り方について、最後に、〝主格を統一しよう〟という話をします。主格とは要するに主語のことです。ただ日本語は主語を省略することもあるので、主格と呼んでいます。

昨日、街を歩いていたら、危険な目に遭（あ）った。怪しい販売員が私に声をかけてきて、すぐ近くのビルの二階に案内され、突然、スマホ契約の話が切り出されたのだ。

この文章、言いたいことは伝わるのでスルーしてしまうかもしれませんが、一つの段落のなかで、主格が何度か入れ替わり、非常に読みにくいです。

昨日、街を歩いていたら、危険な目に遭った。↓主格は「私」
怪しい販売員が私に声をかけてきて、↓主格は「怪しい販売員」
すぐ近くのビルの二階に案内され、↓主格は「私」

突然、スマホ契約の話が切り出されたのだ。↓主格は「スマホ契約の話」

読み手は、「○○は」という主格が書いてあったら、その立場で考え、その立場に共感しながら文章を読み進めます。なので、せめて一つの段落のなかでは、一つの主格で表現したほうが良いです。途中で主格が入れ替わるのがダメだとは言いませんが、あまり頻繁に主格が入れ替わると、共感対象が定まらず、目がチラチラします。

例文だと、以下のように書き換えられます。

昨日、街を歩いていたら、危険な目に遭った。怪しい販売員に声をかけられ、すぐ近くのビルの二階に案内され、突然、スマホ契約の話を切り出されたのだ。

あるいは以下のように、一度だけ主格を切り替えても良いかもしれません。

昨日、街を歩いていたら、危険な目に遭った。怪しい販売員が私に声をかけてきて、近くのビルの二階に案内すると、突然、スマホ契約の話を切り出したのだ。

○○するだけで、文章力が上がる

「ここだけは押さえる文章術」の要点をまとめると、次のようになります。

・トピックセンテンスを意識して段落を構成する。
・文章を短くするとわかりやすくなる。
・長いものから並べる。
・主格を統一する。

これくらいなら、書いている時に常に頭に入れておくことができますよね。理屈を知ったうえで、これらを意識すると、いろんな応用も可能です。

書くことは創意工夫そのものです。大切なのは選択肢を持つことで、こういう書き方だともっと伝わるんじゃないか、と考え、工夫を積み重ねることで、大きな感動や理解が読者にもたらされます。

本章は、ちょっと理屈が多かったかもしれません。

だからというわけではないですが、最後に一つだけ、理屈をすっ飛ばした、超実戦的な文章力向上術を紹介します。これは、やってみてくださいとしか言いようがありません。ただ、やってみれば、確実にやって良かったと実感できるはずです。

それは、好きな小説を「写す」ことです。

本のページを開いて、ＰＣの画面に同じ文章を打ち出してみましょう。手書き派の人は、もちろん手書きで写してください。そうすると読むだけの時とはまるで違って、いろんな発見があるはずです。

二〇年以上前、僕は江國香織さんの『きらきらひかる』（新潮文庫）のあちこちを、五ページずつくらい写してみました。やってみてよかったな、という感覚は、確実にありました。

この行為は小説のアウトプットではなく、インプットです。書いて（写して）みることは、目読したり声に出して読むより、インプットが深いんです。

その深いインプットによって学べることはたくさんあって、読んでるだけでは、そこには決して到達しません。

ぜひ一度、やってみてください。

小説の書き出し

ここからは、実際に小説を書いてみましょう、という話です。

まずは本章で「小説の書き出し」について語り、第七章で「小説の書き進め方」、第八章で「小説の終わらせ方」と、実際の執筆の流れと同様に進めていきます。

一行目の幻想

小説の一行目が大事だ、ということはよく言われます。確かにそうだと思います。

でも、一行目にその小説のすべてが詰まっている、とか、一行目を読めばすべてわかる、とか、そこまで行くとただの幻想です。でもそのような幻想が生まれる背景というものはあります。

一行目を書く時、作家はやはり、特別な気持ちで書きます。また執筆のなかで、一番目に触れるがゆえに、一番ブラッシュアップされるのは一行目になります。

必然的に一行目は名文となる可能性が高いのです。だから読書体験のなかで、一行目で心を摑(つか)まれる、ということが、起こるわけです。

では僕らは、どのようにその一行目を書けば良いのでしょうか？

まず最初に、やってはいけないことから先に触れます。

慣れていない人だとついつい「この街に生まれて二〇年が経った」というような、自己紹介風のモノローグ（独白）を書いてしまいがちです。まずは説明しなきゃ、という気持ちはわかるのですが、読者にとっては〝読まされている感〟が強くなります。

こういう入り方は、もしかしたら、ゲームや映画や漫画の影響なのかもしれません。冒頭でモノローグや説明が始まる手法は、ゲームや映画や漫画では効果的であったりするのですが、それはヴィジュアルがあるからです（ヴィジュアルが語りを補足し、語りがヴィジュアルを補足している、わけです）。

しかし、小説の冒頭で似たような効果を出すのはとても難しい、ということを頭に置いておいてください。やめたほうが無難です。

そしてもう一つ、慣れてない人がやりがちなのは、朝起きたところから始める、というものです。目覚まし時計を止めるところから始めるのが悪いとは言いませんが、あまりに工夫がありません。こちらもやめたほうが良いです。

まとめると、説明（モノローグ）から入る、時系列で起こったことをはじめから順に述べる、この二つはできるかぎり避けましょう。

冒頭に謎を含める

それでは、どんな出だしが良いか、考えてみましょう。
詩や俳句や短歌と違って、小説の文章が暗記されることはそれほど多くはありません。ただし、一行目は別です。諳(そら)んじられる小説の出だしが、みなさんにもいくつかあるのではないでしょうか。

吾輩は猫である。
メロスは激怒した。
きょう、ママンが死んだ。

これらは有名すぎる小説の冒頭ですね(右から、夏目漱石『吾輩は猫である』、太宰治『走れメロス』[新潮文庫]、カミュ『異邦人』[窪田啓作訳、新潮文庫])。短い文章ばかりで覚えやすいということもありますが、こんな一行を書いてみたいものです。

小説の出だしとして、この三つの文章に共通することを考えてみますと、キーワードはやはり「謎」ということになるかと思います。

どの文章も、読んだだけで、「どういうこと?」という謎が浮かびませんか?

つまりは、〝断言しているにもかかわらず謎のある文章〟というのが、小説の一行目を書くコツと言って良いでしょう。

結局のところ、小説の方法論で一番大きいものは、「未来（結果）が知りたい」「過去（理由）が知りたい」という〝謎解き〟で読者の心を摑んでいく、ということなのです。どんなテーマや内容の小説でも、学術論文や新聞記事でも、同じです。読者は〝それ〟を知りたいからページをめくります。

その究極が、小説の一行目だと思ってください。意識するのは、謎を含む文章、ということだけです。最初だからついつい何かを説明しようとしてしまうのですが、それは二行目以降に任せて、何かを言い切って、なおかつ謎があると良いです。

以下は僕の小説のワークショップで、生徒さんが書いた小説の一行目です。

この街で唯一の窓から光が差し込んでいた。

眉毛のカットお断り。店のガラス張りのドアにはそう貼り紙がしてあった。

煙突の先端でワンピースが翻(ひるがえ)った。

イタリアに行くと男はみんなジョーになる。


続きが気になる良い書き出しですね。以下は僕の作品の一行目です。


「いい?」と言って姉さんは、僕の頭に手をのせた。

街にはさまざまな営(いとな)みがあって、誰もいなくなるとその跡だけが残る。

犬が死にそうだ、と実家の母親から電話があった。

十年ぶりってのは、どれくらい久しぶりなんだろう。

(右から、『リレキショ』、「ハミングライフ」[角川文庫『あなたがここにいて欲しい』所収]、『100回泣くこと』[小学館文庫]、『あのとき始まったことのすべて』[角川文庫])

文章が文章を生む

作者は、自分だけが知っていることをどう打ち明けていくか、どう種明かししていくかという観点を持つべきです。文章を答えの連続にしてはいけません。謎を立てることで、読者に読み解く悦(よろこ)びが生まれるからです。

だから、冒頭に謎を含める、というのは、読み手側の立場に立った文章の書き方、と言えます。謎があるから、読者は文章を読んでくれるからです。

でも実は、それは、読者のためだけじゃないんです。〝謎〟は書き手側のエンジンにもなってくれます。

小説投稿サイト「ステキブンゲイ」で、「この一文に続け」という企画をやったことがありました。お題として小説の一行目を僕が考えて、それに続く短い小説を投稿してもらったんです。その時の一行目は、以下としました。

たん、たんたん、たんたんたん、と音が聞こえた。

何かを言い切り、かつ、謎がある文章です。

ここから発想した多くの投稿が集まったのですが、似たものは一つもなく多種多様で、正直、驚いてしまいました。

たん、たんたん、という音が、隣の部屋のダンスの音だったり、銃声だったり、手拍子だったり、台所から聞こえた音だったり、モールス信号の音だったり、焼肉店での注文の声だったり——。

つまり謎を含んだ第一文から、さまざまな発想や概念が生まれたのです。しっかりした謎を立てることで、発想は飛躍するということです。

書くことと考えることは同義です。書いたことによって、次の発想が生まれます。謎を立てることで、ただ説明を重ねていくことでは決して生まれない文章や、概念が生まれるはずです。

謎を立てることは、書き手にとってもエンジンの役割を果たす。

そう肝(きも)に銘じて、第一文を書いてみてください。

主語を省いてみよう

ここで、『雪国』の冒頭を再掲します。


国境の長いトンネルを抜けると雪国であった。夜の底が白くなった。信号所に汽車が止まった。

向側の座席から娘が立って来て、島村の前のガラス窓を落した。雪の冷気が流れこんだ。娘は窓いっぱいに乗り出して、遠くへ叫ぶように、

「駅長さあん、駅長さあん。」

明りをさげてゆっくり雪を踏んで来た男は、襟巻(えりまき)で鼻の上まで包み、耳に帽子の毛皮を垂れていた。

（川端康成『雪国』）


たった一行で非日常に踏み込んでいる、という話を第三章でしましたが、他にも語るべきことがたくさんあります（そのために長く引用しました）。

最初、白しかない静かな情景から、登場人物（娘）が出てきて思わせぶりな行動を見せます。ガラス窓を落としたところまで視覚的な描写が続いていますが、雪の冷気が流れ込む感覚的な描写で、読者ははっとします。続く「駅長さぁん、駅長さぁん」という声で、聴覚的な描写に転じています。色、動作、温度、声と続く描写で、短い行数にもかかわらず、世界が鮮（あざ）やかになっていきます。

以下は『雪国』一行目の有名な英訳です。

The train came out of the long tunnel into the snow country.

この英文だけを読んで、ここで描かれている景色を頭のなかに浮かべてみてください。その景色は、汽車がトンネルを走り抜けていく様（さま）なのではないでしょうか？　ハリウッド映画的な空から撮った映像を思い浮かべる方もいるかもしれません。

一方、日本文「国境の長いトンネルを抜けると雪国であった」から想起されるのは、列車の窓から見える光景ではないでしょうか？　主人公が車窓を眺めていた、などとは書いてないのに、その光景が浮かぶのはなぜなのでしょうか？

それは、語り口から主人公の存在が感じられるからです。

日本語は主語を省いてもまったく違和感がないため、意外な文章や、ちょっと謎めいた文章が簡単に作れます。これを活かさない手はありません。


輝いているリングに立ってみると、対戦相手とレフェリーしか見えない。ぎらついた照明が白く落ちる。ゴングが鳴った。


小説ワークショップの生徒さんが書いた小説の冒頭です。見事ですね。

主語を省くことで、説明的ではなく迫力のある文章になります。また「この主人公はどんな人なのだろう」という謎も生まれます。

生真面目（きまじめ）に主語を書くのではなく、思いきって省くことを、方法論として持つべきです。

小説の書き進め方

第五章までで内容について考え、第六章で出だしを考え、あとは小説を書き進めるだけ、というところまで来ました。完結を目指して書き進めるのは、楽しくもあり、苦しくもあるでしょう。いろいろ考えることもあると思います。

しかしこのフェーズまで来たら、おもしろい小説を創るために意識すべきなのは二つだけだと言い切っておきます。その二つとは、

・転じる。

・比喩を意識する。

です。なぜ、この二つなのか？　まずは「転じる」について説明します。

結論の前に、結論を書く!?

起承転結（四段構成）ということがよく言われ、第四章でも取り上げましたが、本当に四段構成である必要があるのでしょうか？

「三つのポイント」「大切なことは三つ」「三大原則」など、〝三〟を使った表現を、僕らはよく目にします。なぜ二や四ではなく三なのかと言えば、人間にとって〝三のリズム〟は心地よく、実用的で機能的だからです。二だと物足りないし、四だと多すぎて覚えられない。三というのはちょうど良い数なのでしょう。

本章で大切なことは二つだけ、と書きましたが、これは本当に二つだから二つと書いています。レトリック的には、無理にでも〝大切なことは三つ〟にしたほうが収まりが良いのです。しかし二つなものは二つだから二つにしています（笑）。

たとえば何かを論ずる（説明する）時、「①序論」「②本論」「③結論」の三段構成にするのが良いとされています。

どんなふうに論じるかというと、①序論で本論に引き込み、②本論で趣旨を述べて結論まで書き切り、③結論では本論で導かれた結論をもう一度述べる、という感じです。

ここでのポイントは、②の本論で結論まで書いてしまう、ことです。大切なことは本論ですべて言い切ってしまうのです。では、③の結論で何を書けば良いのかというと、以下のようになります。

①序論「昨日こんなことがあった」（本論への引き込み）
②本論「それについて自分はこう思った。なぜなら～」（自分の意見を言い、読者を説得する）
③結論「結局のところ～」（本論を要約などして言い換える）

③結論のところで結論を言えば良いだろう、と思われるかもしれませんが、それは違います。②本論で辿り着いた結論を、まとめ直すのが③結論、です。
本論の言い換えにはコツがあって、それは〝一般化〟と〝個別化〟です。

もし②本論のところで、あるケースにおける結論を述べていたなら、③結論では「他のどんな場面においても～」などと〝一般化〟します。歌詞にたとえると、Aメロである日の出来事を歌い、Bメロで「あなたに会いたかった」と歌い、サビで「誰もがみんな寂しがりや」と〝一般化〟するわけです。

逆に②本論のところで一般論的にまとめたなら、③結論では「今後はこのことを自分の糧(かて)とし〜」などと〝個別化〟します。

このように、三段構成で物事を論じていくのは王道で、わかりやすく、過不足がありません。書き手にすれば、言いたいことはすべて言い切れているはずですから、満足でしょう。論文ならこれでOKです。

しかし、小説の読み手にとってはどうなんでしょうか？

三段構成のウィークポイント

三段構成は主張が一方的すぎます。こうでしょ？　だからこうなるでしょ？　だからこうでしょ？　と、読み手は論破されている気分になるかもしれません。

僕らは誰かを説得したい、理解させたい、と思った時、ついつい一方的な文章を作りがちです。そして非の打ち所がない一方的な文章を作れた時、満足したりします。

でも冷静になってください。そういったものに人は必ず飽(あ)きるし、読む気がしない、と感じたりもします。誰かが誰かを説得しようと、強く何かを主張している文章を読む時、読み手としての僕らは、そう感じるんじゃないでしょうか？

だから、読み手のために転じるわけです。

「序論・本論・結論」の流れのなかに「反論」を入れ、「序論・本論・反論・結論」の四段構成にします。こうでしょ？　だからこうなるでしょ？　でもこういう考えもあるよね？　だけどやっぱりこっちのほうが良いよね？　といった具合です。

①序論「昨日こんなことがあった」
②本論「それについて自分はこう思った。なぜなら～」
③反論「一方、○○という意見もあるだろう。しかし～」
④結論「結局のところ～」

起承転結の転と同じ場所に、反論を入れると、ぐっと共感しやすくなります。

意識したいのは、〝読み手のために転じる〟ということです。逆に言えば、書き手の通常の意識の流れのなかでは、「反論」のことなんて考えてないんです。

水は高いところから低いところに流れますが、転じる、というのは、一時その水を逆流させるようなものです。なので、しっかり意識しないと、〝転じる〟ことはできません。

「転」は、こんな時に有効

書いている時に、起や承や結を意識する必要はまったくありません。これは脳が勝手にやってくれることだからです。

だけど転だけは意識していないとできません。そういう意味で、僕らはともかく執筆する際に、〝転じる〟ことを意識すべきです。

そもそも人が勝手に興味を持ってくれる文章では、転じる必要はありません。ただ、もっと興味を持ってほしい時や、驚きや感動や共感を覚えてほしい時、〝転じる〟のはとても有効です。

有名な起承転結の例文（俗謡『糸屋の娘』）を、ちょっと書き換えてみます。

【起】京の五条の糸屋の娘
【承】姉は十八、妹は十五

【結】とても美しい娘たちです。

転を省いて文章を作りました。要は糸屋の娘が美しい、という事実を伝えています。これだけで言いたいことは充分言えていますが、本当の歌詞は次のようになっています（これ以外にも複数の伝承がぁります）。

【起】京の五条の糸屋の娘
【承】姉は十八、妹は十五
【転】諸国諸大名は弓矢で殺す
【結】糸屋の娘は眼で殺す

転での話の飛躍がすごいですね。糸屋の娘さんの話をしていたのに、急に諸国諸大名は弓矢で殺す、ときます。なんだ？　なんだ？　と読者の興味を煽り、結でオチのように結んでいます。前の起承結の文章に比べて、驚きや感動や深い理解があることがわかると思います。

転じて結ぶ

起承転結と言うと、物語全体の構成を指し示す概念と思われるかもしれません。しかしながら、小説のなかの部分的な文章構成においても起承転結を盛り込むことで、読者により深い共感や理解を与えることができます。

そんなことができるの？　と思われるかもしれません。でも意識するのは〝転〟だけです。時々転じよう、とか、もっともっと転じよう、とか、結ぶ前に転じよう、と意識すれば良いのです。

難しく考える必要はなく、読者の意表を突くようなトピックセンテンスを書けば良いのです。さきほどの例で考えてみましょう。娘の話をしているのに諸国諸大名が出てくる、その発想の飛躍が〝転じる〟ということです。

僕も、ちょっと考えてみます。

京の五条の糸屋の娘
姉は十八、妹は十五
三時のおやつは文明堂
糸屋の娘は何時でも綺麗

これが上手いかどうかはさておき、こんなふうに発想を飛躍させれば良いということです。

人間は忘れる生き物ですから、書きたいことや書かなければいけないことがあるとそちらに心が囚われ、転じることを忘れて、まっすぐ結論に向かってしまいます。でも結ぶ手前で一旦止まって、しっかり転じましょう。高きから低きへ、水が流れるように書き連ねていくだけでなく、要所要所で堰(せき)を作る。

書き進める時は〝転じて結ぶ〟チャンスを、常に狙い続ける意識が必要です。

「起」と「承」は意識しなくて良い

このように、〝転じる〟は、常に意識しておいてほしいのですが、難しく考える必要はありません。たとえば『雪国』の冒頭は、以下のように解釈できます。

【起】国境の長いトンネルを抜けると雪国であった。夜の底が白くなった。信号所に汽車が止まった。
【承】向側の座席から娘が立って来て、島村の前のガラス窓を落した。雪の冷気が流れこんだ。娘は窓いっぱいに乗り出して、遠くへ叫ぶように、
【転】「駅長さあん、駅長さあん。」
【結】明りをさげてゆっくり雪を踏んで来た男は、襟巻で鼻の上まで包み、耳に帽子の毛皮を垂れていた。

「駅長さあん、駅長さあん。」といういきなりの音の描写に、ハッとしますよね。これも充分〝転〟です。それまで流れていた小説のトーンをちょっと変える一行を、書いてあげ

るということです。

わかりますか？

今、一行前に、わかりますか？　と書きましたが、これはこの文章自体を転じようとして書いてみた一文です。こういう簡単なことで良いのです。ただ〝転じよう〟という意識を持っていないと、この一文は書けないですよね。

意識するのは、〝転じて結ぶ〟ということだけです。起とか承は意識しなくて良い。起承転結起承転結、になっておらず、起転結起転結、と進んでも、転結転結転結、と進んでも良いのです。

比喩という必殺技

書き進める際に意識すべき二つのうち〝転じる〟について、お話ししてきました。この〝転じる〟と並んで、もう一つ意識してほしいことがあります。それは〝比喩〟です。

書き進める時に大事なことが二つあって、その一つが比喩だ、というのは意外に思われるかもしれません。しかし比喩は言語表現の圧倒的な花形であり、書き手としては〝必殺技〟と言っても良いくらいです。

銀貨のような月が頭上に輝いていた。

たとえば、こんなふうに月を表現してみました。銀貨と月を重ね合わせた、映像的な比喩です。

映像的とは言っても、実は「銀貨のような月」を映像で表現するのは、なかなか難しいんじゃないかと思います。でも文章であれば、比喩を使って七文字で表現できる。比喩は、二つのイメージを一瞬で結ぶ、言語ならではのすばらしい表現方法なのです。

銀貨のような月、という書き方は、比喩のなかの、直喩(ちょくゆ)と呼ばれます。～のような、～みたいに、と直接比較して書く方法です。これに対して、～のような、～みたいに、などを使わずに表現するのが、暗喩(あんゆ)です。例を挙げましょう。

月はゆっくりとウィンクし、気づけば二月が終わっていた。

ウィンクするように満ち欠けし、と書けば直喩ですが、言い切ってしまえば暗喩です。暗喩も直喩も、伝わりづらいと思われる場合は、その後に、説明を加えましょう。

都築由美は月だ。裏側を決して見せず、僕の周りを漂(ただよ)い続けているのだ。

地球から月の裏面は見えませんが、その現象で都築由美という人を喩(たと)えています。地球から月の裏面は見えない、という事実を読者が認識しているかどうかはともかく、都築由美は月だ、とだけ書いた場合、月のように美しい、のか、月のように夜道を照らしてくれる、なのかわからないですよね?　そういった時には、言いたいことをはっきりさせるために、説明を加える必要があります。

以上、比喩を含んだ文章を三つ考えてみましたがどうでしょうか?　必殺技なので、頑張らないと書けないですが、頑張る甲斐があると思いませんか?　実際、僕もこれらの例を、すらすら書いたわけではありません。

しっかり考えて作った比喩は、読者の目を引きます。その文章を読んでハッとしたり、驚いたり、興味を持ったり……。

転じる、に似ていますね。つまり〝喩える〟ことで〝転じる〟ことも可能になるのです。

諸国諸大名は弓矢で殺す
糸屋の娘は眼で殺す

これも考えてみれば、諸国諸大名が弓矢で殺すように、ということですから、比喩表現です。

【転】都築由美は月だ。【結】裏側を決して見せず、僕の周りを漂い続けているのだ。

こちらの文章も、転じて結ぶ、という構造になっています。

小説を読んでいて、一つ、好きな比喩を見つけたら、それだけで読んでよかったと僕は思ったりします。発想を飛躍させた比喩を、みなさんもぜひ、考えてみてください。

比喩のもう一つの役割

比喩は、転じるためだけにあるわけではありません。

難しいことを理解してもらわないといけない時、一からくどくどと説明するより、比喩を使えば一発で理解されることが少なくありません。

「変数とはデータを入れる箱のようなもの」などという説明は、もし比喩を使わずに説明するとなると、結構大変なんじゃないでしょうか?

その究極として比喩が名詞になる、ということもあります。ネットサーフィンという言葉は、喩えがそのまま言葉になっているのがわかると思います。WEBという言葉も、巨大な電子のネットワークをWEBのもともとの意味である「蜘蛛(くも)の巣」で喩えているわけです。野球のアウトを「死」と書くのも喩えですよね。

そもそも、言語とは比喩である、と言っても良いと思います。たとえば、「海」という言葉は、あの巨大な水たまりを「海」という言葉で定義しているわけですが、定義している、と、喩えている、は同じことです。

だから何かを説明しなければならない時も、それを比喩でできないか、と考えてみてください。心情を説明する時、手順を説明する時、動作を説明する時、関係性を説明する時、比喩を使えば鮮やかでわかりやすく説明できます。

このように物事をわかりやすく説明することができて、また人の目を引くことのできる比喩ですが、〝転じる〟と一緒で、ちゃんと意識していないと書けません。やっぱりそれを考えるのは、負荷がかかるからです。だからチャンスがあったら比喩を使おう、という意識を常に持っておくことが大事です。

いやいや自分はそんなに意識していないけど比喩を使っているよ、という人はすばらしいです。でも、次項のようなケースには注意してください。

悪例を見てみよう

比喩は便利であるがゆえに、誰もが使うフレーズへと進化していきます。いわゆる慣用句、慣用表現、というものです。

たとえば、腹を割る、猫を被る、虎の子、などといった慣用句は、もはや他の言葉で言い換えるのが困難なほどです。それらは仕方がないとしても、ちょっと紋切り型すぎて陳腐だなあ、という慣用表現もあります。

・カモシカのようにすらりとした脚
・乾いた銃声
・口を真一文字に結んで
・嬉しい悲鳴を上げた
・抜けるように晴れ渡った
・頭を抱える
・しとしとと降る雨
・胸をなでおろした

これらは会話文で使うぶんには何の問題もありませんが、地の文で出てくると、もったいないなあ、と思います。

ニュース番組・新聞・偉い人のスピーチなど、ともかく世間では慣用句が溢れています。使ってしまうのも致し方のないことですが、せっかく小説を書くんですから、紋切り型の表現を避けて、美しさや新しさを追求したいところです。

慣用表現は要するに便利だからみんな使っているわけですが、すこし考えれば簡単に言い換えられます。

本当に「胸をなでおろした」のか？　と考えてみると、そうではないですよね。もともとは「胸をなでおろすように安堵した」という、比喩表現の、～ように、のほうが慣用句になっています。胸をなでおろす、ではなく、安堵した、と書けば良いのではないか？

乾いた銃声、は、銃声とだけ書けば良いのではないか？　といった具合です。

しかし、歴史小説や時代小説などは、慣用表現を怖れていては何も書けなくなってしまうかもしれません。逆に純文学では紋切り型の表現は絶対にやめたほうが良いです。

ここで言いたいのは、比喩を考えよう、ということです。～ように、～のように、と、考えなくても書ける、手垢（てあか）のついた比喩の乱発は、もちろん避けてください。

穴埋め問題を解くように書く

本章のまとめです。

書き進める時、僕らはゴール（書き終えること）を目指しています。一日に○枚書こうとか、○日までに書き上げようとか、そういうこともとても重要だと思いますが、それだけでは成長できません。執筆内容について、頭のなかにハードルを設けてほしいです。

僕から提示できるハードルは、〝転じる〟と、〝比喩〟の二つです。

他にも二ページに一つくらいは良いことを書こう、とか、一ページに一つパンチライン（決め台詞、オチ）を書こう、とかでも良いでしょう。

僕は執筆する際、それらを穴埋め問題のように設定し、問題を解くように書き進めていくことがあります。たとえば、ここに比喩を入れよう、と決めたら、そこのスペースを空けておきます。その時に思いついたら、そのスペースを埋めますが、思いつかなかったら、そのスペースは空けたまま次の文章を書き進めていきます。問題はあとで解けば良いのです。

やり方はいろいろあると思いますが、ただ文字を埋めていくだけでなく、自分のなかにハードルを設けることを考えてみてください。
文章のクオリティが上がって、何より読み手にとって嬉しい作品になります。

小説の終わらせ方

小説を書き進め、クライマックスを書き、あとは小説を終わらせるだけです。言うまでもありませんが、出だしと同様、小説の終わり方もとても大切です。

ご安心ください。終わり方のちょっとしたコツで、あなたの小説はすばらしい余韻を読者に与えることができます。

〝終わっていない〟小説

文学賞の選考やワークショップなどで、おもしろい作品に出会うことは少なくありません。そういう作品を読んでいる最中、願っていることがあります。

ちゃんと終われていますように――。

最後まで読み、その作品がしっかり終われていれば、とてもほっとします。終わり方はハッピーエンドだったり、バッドエンドだったり、いろいろです。ラストが感動的であったり、特に盛り上がりのないまま終わるものもあります。しかしともかく、終われていれば、ほっとします。

というのは、終わっていない作品、というのがままあるからです。途中までおもしろいのに、ちゃんと終われていない。

おそらく書くことに夢中で、最後はラストスパートで書き上げ、推敲することなく完結としてしまった、ということなんだろうと思います。結果、終われていない、ということが起きてしまう。

執筆のなかで、小説の終盤に差しかかった時、ちゃんと終われそうか、ということをしっかり考えてください。書き終えてから考えるのでも良いです。

第四章で書いたメインプロット（ログライン）を見返してみましょう。主人公が葛藤していたことや悩みは解決していますか（または、解決しないことが明らかになっていますか）？　布石や伏線の類いは、ちゃんと回収されていますか？　当たり前ですが、自分が提示した謎や葛藤や対立は、すべてちゃんと解決させてください。

終わりのほうをメモしながら書く、というクセをつけると良いと思います。執筆時に開いているファイルの最後に、終わりのほうに書くべきことやラストシーンそのものを、すこしずつメモっておく。

そこを目指しながら、小説を書き進めていきます。

メモし続けた結果、みなさんの執筆が実際にラストに辿り着いた時、最初に思い描いていたのとは違うシーンになるかもしれません。でもそれこそが、みなさんの小説のラストシーンです。

終わりをイメージしながら、そこに辿り着くために小説を書き進める。こういう書き方をすれば、小説の芯がぶれることがありません。

小説の最後は、何のためにある？

前項のように、小説で書くべき内容をすべて書き終えたとします。実はそれでもまだ小説を終えられていないケースが、ままあります。

最後の最後に何を書くか？

小説の最後の最後は、何のためにあるのか？

それは、読者が気持ち良く本を閉じるため、です。最後の最後に一番重要なことを書くとか、大どんでん返しをする、とかは考えるべきではありません。重要なことも、どんでん返しも、もっと前に書いてください。

ショートショートや掌編小説などで、最後の最後に何か重要な内容を明かす、というようなことはあるかもしれません。短い小説は、読み終えたら次の小説に進むわけですから、気持ちよく本を閉じる、ということとはまた違う終わり方で良いのです。

長く書かれた小説の最後の一行で、今まで書いたことはすべて夢でした、並行世界のお話でした、などと書かれた小説は最悪（なことが多い）です。

最後にそれを書くのではなく、人物や時間が動いているドラマのなかで、大切なことはすべて言い切ってください。結論を引っ張り、最後の数行で答えを出すと、読者を消化不良にさせます。

大切なことをすべて書いたそのあとに、小説の最後はあります。

〝本論〟で書いたことの「一般化」や「個別化」をするのが〝結論〟だ、と前章で書きましたが、それと同じ考え方でラストも書けます。エピローグを書くんだ、という考えでも良いでしょう。

葛藤はすべて解決しているのですから、あとは余韻としてのシーンがあればよく、ちょっとした会話や行動や、ジョークで終わっても良いのです。

終わり、は始まり

すべてが解決したあとのちょっとした会話や、ちょっとした行動——。

それは、すべてが解決しているがゆえに、今までのそれとは違った「良い感じの」、あるいは「現実から数センチ浮き上がったような」、あるいは「今までとはすこし違うフェーズの」シーンになるはずです。

これを読後感に繋げない手はありません。


「俺は曲を創るよ」

「おう。俺はドラムを叩く」

ぱかん、ぱかん。

中庭のむこうではバドミントンの羽根が山なりに行き交っていた。

二人はハイタッチして仕事に戻った。


（中村航「月に吠える」〔『ぐるぐるまわるすべり台』所収〕）

拙著「月に吠える」のエンディングです。「俺は曲を創るよ」「おう。俺はドラムを叩く」という二つの台詞は、すべてが解決したあとのもので、ストーリーとしての意味はありません。余韻として読者に残したかったのは、以下のようなことでした。

・交わされる会話→二人の新たなコンビ感
・行き交うバドミントンの羽根→平和な感じ
・ハイタッチ、仕事に戻る→未来への意志と続く日常

良い終わりというものは、良い始まりになっているのですが、僕はいつもそれを意識して書いています。

彼女は僕を指さし、けらけらと笑った。
喜んでいるのだろうか？　僕は不思議な気持ちになった。思いもよらないほどの浮き立つ気分が、くすぐったかった。

しばらく笑い合ったあと、僕はまたメガネをかけた。ギアをDレンジに戻し、那須高原に向けて車を走らせた。

（中村航「富士に至れ」［小学館文庫『絶対、最強の恋のうた』所収］）

拙著『絶対、最強の恋のうた』は五編から成る連作小説で、最後の小説「富士に至れ」は全体のエピローグのような掌編小説です。これは、そのラストの部分です。

告白のシーンがこの前にあって、大切なことはすべて終わっています。「僕」は大事なことを言う時にメガネを外す癖があり、「メガネをかけた」というのは、大事なことはもう終わったんだということを象徴した描写です。

最後の最後に何かを説明したりするのは興ざめです。

ここまで読んでくれた読者を信じて、行動や情景で物事を表現し、解釈は読者に委（ゆだ）ねたほうが、良い余韻が出ます。

〝終わらせ方の筋力〟をつけるには？

終わらせ方はセンスというより筋力なので、いろんな小説を読んでみてください。

短編集を読むと、一度に複数の小説の終わり方を読めて良いでしょう。たとえば加藤千恵さんの短編小説は、終わり方が上手いなあ、と思ったりしますので、ご参考までに（加藤千恵さんは短編集を多く出版されています）。

一旦その筋力がつけば、どんな短編でも長編でもエッセイでも説明文でも、終わらせられるようになります。

みなさんに、その筋力があるかないか、以下の文章を読んでみてください。この文章は、小説の最後の文章として成立しているでしょうか？


それからいろんなことがあった。雨の日もあったけど、晴れの日もあった。だけどあの日のことは、ずっと忘れない。

これが小説の最後の文章として読めてしまったなら、〝終わらせ方の筋力〟が足りないかもしれません。筋力ある人なら、これじゃあ終われない、と、このあとに、何かを付け足したくなるはずです。

　雰囲気だけになりますが、筋力だけでこの小説を終わらせてみました。


それからいろんなことがあった。雨の日もあったけど、晴れの日もあった。だけどあの日のことは、ずっと忘れない。

「だって、そうでしょ？」

くるり、と振り向いた博美は、あの日のように笑った。

「小説の終わりって、何だか哀愁があるじゃない」

彼女の言葉に、僕はいつだって怯（ひる）んでしまう。

遠い遠い小説の終わりを思い、僕は彼女の影を踏むように歩き続けた。

おわりに――創造におけるミラクル

小説の書き方について、ここまでおつきあいいただき、ありがとうございました。

おもしろい小説の書き方について、感覚やセンスに頼らず、できるだけ実戦的に、かつ、できるだけ簡単に説明したつもりです。

あなたの小説を書くことの助けになると信じています。また今後、好きな小説を読む時に、今までとはすこし違った読み方ができるんじゃないかな、と思ったりもします。さて。ここまで読んだからには、次はあなたの番です。あとは書くだけです。もう書き始めている人もいるかと思いますが、それがすばらしい小説になることを願っています。

最後に、ここまで触れなかった、感覚やセンスみたいなことについて触れます。

すばらしい作品を創った人は時に、才能がある、と評されます。天才だ、などと言われる人もいます。

才能って何だろうなと考えたり、自分にも才能がほしいな、と思ったりすることが僕にもありますし、みなさんにもあるのではないでしょうか。

だけど、客観的に見て自分に才能があるかないかは、あまり考えても仕方がないと思います。才能があろうがなかろうが、僕らは自分の持っているカードで勝負するしかないからです。

じゃあ、才能やセンスについて語ることは意味がないだろう、ということになりますが、僕としては、創造におけるミラクル（奇跡）について、すこし語りたいです。

マグレで良い小説が書けたって良いじゃないか、と僕は思ってます。

以下はそんな話になります。

バカみたいな話で恐縮ですが、自分の書いた小説を読んで、いや、これおもしろいな、とか、まじかよ、すごいな、などと思うことがあります。

小説を書き終えた時に、そう感じることはないですが、しばらく経ってから読み返すと、そういうことが起こります。校正作業をしながら泣いてしまうこともよくあります。

そんな時、どうしてこんな小説が書けたんだろう、とか、よくこんな一文を思いついたな、とか、自分の能力を超えたものを、感じます。自分の知っている自分は、こんな小説を書けるわけがない、と思うのです。

たぶんそれは、書いている時に、ミラクルが起こっているんだと思います。奇跡の積み重ねで、良い作品がマグレのように生まれているんです。

書き手は、才能について思い悩むよりも、自分の執筆中におけるミラクルを、もっと信じましょう。

僕がはじめて本格的に書いた小説は、『リレキショ』でした。次に書いたのは『夏休み』(集英社文庫)です。誰かのオファーで書いたわけではなく、プロになる前に書いた小説です。

当然、誰かに読ませるわけでもなく、何の指針もありませんでした。どんなふうに書けば良いかまったく見当がつかず、これで良いのか悪いのか、さっぱりわかりませんでした。

本書をその頃に読んでいたら違ったでしょうが、当時の自分が考えていたのは、〝全行おもしろくしよう〟ということでした。全行おもしろければ、それはおもしろい小説なんじゃないだろうか？　誰も無視できないんじゃないか？

何もわからなかったから、それしか指針が持てなかったんです。

『リレキショ』や『夏休み』の全行が、実際におもしろいかどうかは別として、そうやって一行一行、丁寧に時間をかけたおかげで、ミラクルがたくさん起こりました。結果として、賞を取ることができたように思います。

小説を書くのは、結局、一行一行の積み重ねです。

その積み重ねが、作者がもともと想像していた場所より遠い場所に、作品を連れていってくれるのです。

だから、才能=幸運に出会う能力、と考えるのは有意義だし、本質的だと思います。自分の小説に、そのミラクルをたくさん呼び込むんです。

ただ漫然と書いてるだけだとミラクルは起こりません。

本書を最後まで読んだ人は、少なくとも向上心や好奇心が強い人でしょう。だから、きっとミラクルも起きます。

頭のなかに湧いたことをトレースするように書くのではなく、復習になりますが、

・どうすればおもしろくなるだろうか？
・新規性を持たせられないだろうか？
・山場を作ろう、キャラクターのセリフを練ろう。
・転じられないか？　比喩を入れられないか？
・物語の構造を持たせよう。
・タイトルをもっと考えよう。

を考えましょう。もちろん、これらを考えていたら、ただ書くことに比べて時間がかかります。時間も努力も必要だし、脳に負荷もかかります。でも、だからこそミラクルが起こるんです。

その結果こそが、他者から見て、才能のようなものに見えるんです。

どうか、あなたの小説にミラクルが起きますように。

いつかあなたの書いた素敵な小説に出会えることを、心から願っています。

切りとり線

★読者のみなさまにお願い

この本をお読みになって、どんな感想をお持ちでしょうか。祥伝社のホームページから書評をお送りいただけたら、ありがたく存じます。今後の企画の参考にさせていただきます。また、次ページの原稿用紙を切り取り、左記まで郵送していただいても結構です。

お寄せいただいた書評は、ご了解のうえ新聞・雑誌などを通じて紹介させていただくこともあります。採用の場合は、特製図書カードを差しあげます。

なお、ご記入いただいたお名前、ご住所、ご連絡先等は、書評紹介の事前了解、謝礼のお届け以外の目的で利用することはありません。また、それらの情報を6カ月を越えて保管することもありません。

〒101-8701（お手紙は郵便番号だけで届きます）
祥伝社　新書編集部
電話03（3265）2310
祥伝社ブックレビュー　www.shodensha.co.jp/bookreview

★本書の購買動機（媒体名、あるいは○をつけてください）

＿＿＿＿新聞の広告を見て	＿＿＿＿誌の広告を見て	＿＿＿＿の書評を見て	＿＿＿＿の Web を見て	書店で見かけて	知人のすすめで

★100字書評……これさえ知っておけば、小説は簡単に書けます。

名前

住所

年齢

職業

中村 航　なかむら・こう

小説家。1969年、岐阜県生まれ。芝浦工業大学工学部卒業。2002年、「リレキショ」で文藝賞を受賞しデビュー。2003年に『夏休み』、『ぐるぐるまわるすべり台』が芥川賞候補となる。2004年、『ぐるぐるまわるすべり台』で野間文芸新人賞を受賞。著書に、累計90万部を超えた『100回泣くこと』、『広告の会社、作りました』、『サバティカル』など。メディアミックスプロジェクト『BanG Dream!』のストーリー原案・作詞なども手掛けている。

これさえ知っておけば、小説は簡単に書けます。

中村 航

2023年12月10日　初版第1刷発行
2024年12月10日　第4刷発行

発行者……………辻 浩明
発行所……………祥伝社しょうでんしゃ
〒101-8701　東京都千代田区神田神保町3-3
電話　03(3265)2081(販売)
電話　03(3265)2310(編集)
電話　03(3265)3622(製作)
ホームページ　www.shodensha.co.jp

装丁者……………盛川和洋
印刷所……………萩原印刷
製本所……………ナショナル製本

Printed in Japan　ISBN978-4-396-11690-3　C0295

〈祥伝社新書〉
語学の学習法